Heath's Modern Language Series

RACINE'S
ATHALIE

*EDITED WITH AN INTRODUCTION, CONTAINING
A TREATISE ON VERSIFICATION,
AND WITH NOTES*

BY

CHARLES A. EGGERT, Ph.D.

BOSTON, U.S.A.
D. C. HEATH & CO., Publishers
1908

PREFACE.

RACINE'S *Athalie* is one of those works that must have a place in every curriculum which recognizes the study of French. It is not simply a masterpiece, but it is *the* masterpiece of one of the greatest literary artists known. Such a work cannot be fully appreciated without some knowledge of the author, and without a commentary on its most characteristic features. The attempt has been made in this edition to supply both in a form neither cumbersome nor superficial, and sufficient for the purposes of school or college.

The justly admired beauty and artistic finish of Racine's versification, nowhere so varied as in *Athalie*, may justify the addition of a brief treatise on versification especially prepared for this edition. It is a truism that poetry should be read as poetry, but thus far very little has been done to present the subject of French versification for practical use in the class-room.

In the notes every subject of interest, and all grammatical difficulties, have received attention. While brevity was aimed at, extreme care has been taken to make this part of the edition all that can be desired.

The text of this edition is based on that contained in the series of "Les Grands Écrivains de la France," by Paul Mesnard, but slight changes in punctuation and spelling, such as have been made by French editors of the work for school use, have been adopted, and in two cases (ll. 124 and 509) the text has been slightly altered by the omission of an *s*, in order to adapt it to modern grammatical rules.

In the preparation of this edition so many authors have been consulted that their enumeration would needlessly encumber this preface. The names of the most important appear in the commentary and the notes.

The editor takes this opportunity of expressing his special obligation to Dr. A. R. Hohlfeld, of Vanderbilt University, for valuable suggestion and advice.

INTRODUCTION.

I.

RACINE AND HIS WORKS.

1. PORT-ROYAL. — JEAN RACINE, who shares with Pierre Corneille (1606–1684) the honor of being one of the two greatest tragic poets of France, was born Dec. 22, 1639, in La Ferté Milon, a town some distance to the northeast of Paris. His father was a poor officer in the royal salt-stores. Both parents having died within a few years after his birth, the orphaned boy was adopted and brought up by his grandparents on the mother's side, and as these had friends among the Jansenists,[1] a sort of Catholic reformers, who held peculiar views on the question of "grace," the boy was sent to the school of Port-Royal, managed by Jansenists, after he had passed through the town school of Beauvais. He entered this school of Port-Royal at the age of fifteen and left the place at the age of eighteen. Of his teachers he has said: (in his *Abrégé de l'Histoire de Port-Royal*) : " They were not ordinary men. It is enough to state that among them was the celebrated Mr. Nicole (an excellent Latin scholar). Another was that same Mr. Lancelot to whom we owe the new Greek and Latin methods so well known as the methods of Port-Royal." Lancelot was his Greek teacher. He was, according to the Jesuits, the bitter enemies of Port-Royal,

---

1 Jansenius, afterwards bishop of Ypres in the Netherlands, had elaborated a system based on the idea of predestination, in connection with his friend Saint-Cyran, who established the society of Port-Royal. After Saint-Cyran, Antoine Arnauld became the leader of this society in France. Their views on " grace " were claimed to be those held by Saint Augustine.

"the chief of the sect of Hellenists of Port-Royal." Other teachers were Antoine le Maître, and Hamon, a physician, for whom he had a special affection, as appeared in his will, in which he asked to be buried at Port-Royal, at the feet of his beloved teacher, Hamon. It is of this Hamon that Boileau (1636–1711) speaks as —

> "Tout brillant de savoir, d'esprit et d'éloquence."

At the head of the institution was Antoine Arnauld, called the " great Arnauld," of a celebrated family. The character of this Arnauld has probably furnished the poet some of the most characteristic features for the *Joad* of his *Athalie*. He died in exile, in Brussels, for no other offence than that of having held views on the question of grace that were not those of the Jesuits (who had full control of the King), and of having stubbornly and enthusiastically defended his opinion and the honor of the men of Port-Royal. Boileau wrote his epitaph, in which occur the lines : —

> "Au pied de cet autel de structure grossière,
> Gît sans pompe, enfermé dans une vile bière,
> Le plus savant mortel qui jamais ait écrit,
> Arnauld, qui sur la grace instruit par Jésus-Christ,
> Combattant pour l'Église, a, dans l'Église même,
> Souffert plus d'un outrage et plus d'un anathème."

One of the most famous of the inmates of Port-Royal was Pascal, " cet effrayant génie," as Chateaubriand called him ; he lived there several years, and young Racine must have occasionally seen him.

Soon after he had entered the school it was suppressed by the government, and the persecutions against the men of Port-Royal began anew. It was only by special permission that young Racine was allowed to continue his studies as a sort of private pupil. This fact is important for a complete understanding of the influences that moulded the poet's character in the most receptive period of his life.

In the solitude of Port-Royal,[1] under the influence of men both deeply religious and learned, the young student passed his time in serious study. Preparing himself thus for future days of splendid success, these lines in his *Athalie* might have been applied to him : —

> Loin du monde élevé, de tous les dons des cieux
> Il est orné dès son enfance;
> Et du méchant l'abord contagieux
> N'altère point son innocence.   (Ath., ll. 782–5.)

It is more than likely that, but for his stay at Port-Royal, Racine would never have written his *Athalie*. This is the opinion held by one of the most competent critics of France, Sainte-Beuve, whose work in six volumes on "Port-Royal" contains, in the sixth volume, an excellent study on the poet in his relation to Port-Royal.

2. PARIS. — In 1658 Racine came to Paris in order to finish his studies at the Collège de Harcourt. The marriage of the King gave him his first opportunity to make his name more widely known. In honor of the event he wrote an ode, entitled *La Nymphe de la Seine*, which gained the approval of Chapelain, the court poet, who recommended its author to Colbert. The result was a *gratification* of a hundred Louis d'or. However, the temptations of the gay capital may have proved too much for the young poet. His relatives, disturbed by reports of his irregular life in the society of men of questionable morals, among these the poet La Fontaine (1621–1695), sent him for a year or two to an uncle in the south of France, for the purpose of studying theology and, if possible, of obtaining a position in the church, then almost the only resource for a young man of education, but without a fortune. The attempt proved fruit-

---

[1] Port-Royal des Champs, so called to distinguish it from Port-Royal of Paris, was a convent dating from the thirteenth century, situated near the village of Chevreuse, about twelve miles southwest of Paris. Up to the beginning of the seventeenth century it was a cloister for women. It then espoused the cause of the Jansenists and gave up some of the buildings to the uses of those learned followers of this doctrine, who are known as the Hermits of Port-Royal. Louis XIV destroyed it 1706.

less; but we may note here that Racine, subsequently, held several more or less remunerative church offices, although he never entered the priesthood, and was for years engaged in very worldly pursuits. It was an age when everything was for sale, or obtainable from the court through the favor of some lady. The offices of the church formed no exception.

Racine returned to Paris early in 1663. On the recovery of the King from an attack of the measles, he wrote an ode which brought him another *gratification*, this time of eight hundred livres. But his principal efforts were now directed to the stage. Assisted by Molière, he gained some recognition by his first tragedy, *Les Frères Ennemis*. This was soon followed by another, *Alexandre*. Both were played by Molière's troupe, at the theatre of the Palais-Royal; but when Racine found that another troupe, apparently better fitted for tragedy, the *troupe royale*, which played at the "Hôtel de Bourgogne," was willing to present his new piece, he abandoned Molière, and at the same time induced the latter's best actress, Mlle. Du Parc, to desert him and join the *troupe royale*. This gave rise to an estrangement between the two great poets, and is one of the incidents which seem to prove that the "gentle" Racine was not always kind and just to his friends. He had now become acquainted with the most remarkable men and women of letters then found in Paris, among them Boileau, who afterwards claimed the credit of having taught his friend the art of "making easy verses with difficulty."

3. RACINE'S SECULAR DRAMAS (1667–1677). On the 18th of November, 1667, the official court-paper referred to a beautiful tragedy which had been performed in the apartments of the Queen, before the King and his Queen. This beautiful tragedy was Racine's *Andromaque*, the first of a series of masterpieces in the sense of the "classical" drama of the times. In the following year (1668) the poet produced his only comedy, *Les Plaideurs*; then followed the tragedies *Britannicus* (1669), *Bérénice* (1670), *Bajazet* (1672), *Mithridate* (1673), *Iphigénie* (1674),

and finally *Phèdre* (1677). *Phèdre*, though by many considered his best tragedy, was not successful on its first appearance, owing to an intrigue of some persons of high rank to whom he had given offence by some sarcastic verses or remarks. At the same time he met with a severe disappointment in love; and being now past the hopeful period of life, disenchanted and despondent, he formed the resolution of retiring from the world and becoming a Carthusian monk. This resolution may not have been very serious, for we find that he soon concluded to marry a lady of great piety and with an " income equal to his own." He had seven children; the younger of his two sons, Louis, became known as a writer, and we owe to him a biography of his father which, though naturally incomplete and one-sided, is yet a valuable work.

4. HISTORIOGRAPHER OF THE KING (1677–1698). Louis XIV, though the most absolute ruler of his time, was swayed by the influence of certain ladies of his court. One of these, Madame de Maintenon, the widow of the unhappy Scarron, became his wife, and at her suggestion the king appointed Boileau and Racine his historiographers, with considerable emoluments, but on condition that Racine renounced the theatre. It was said at the time that he thus made of an *inimitable* poet a historian who was very *imitable*. It is true that Racine added nothing to his fame by writing the very mediocre pages of would-be-history (now mostly lost or forgotten) imposed upon him by his office. On the other hand his pecuniary gain was considerable. He was made a " Conseiller du Roi, et Trésorier de France en la généralité de Moulins," which dignity carried with it, as an aristocratic friend wrote to him, " la noble satisfaction *d'être enterré avec des éperons dorés*." At court he proved very agreeable to the king; while his caressing manners and pleasing conversation had long since gained him the favor of the ladies who exercised the greatest influence on the king.

5. RACINE'S SCRIPTURAL DRAMAS. — From 1679 to 1690 Racine does not seem to have been engaged in any important

poetic effort, though his sarcastic wit frequently indulged in
epigrams of more or less piquancy. In the year 1690 he
accepted the invitation of Madame de Maintenon to write a
biblical drama for her pupils, the young ladies of the educa-
tional institution of "Saint-Cyr." The result was the play
Esther. It was performed with great success by the young
ladies before the king and the court, with all the accessories
of music, dress and scenic arrangement. The same lady
asked the poet for another drama of a religious character, and
he produced, in about a year, what competent critics have pronounced his greatest work, — Athalie. But the performance
of Athalie was not favored as Esther had been. The young
ladies recited it before the king and his wife, but without the
artistic aids which had contributed to the success of Esther.
They appeared in their habitual dresses; there was neither
music nor any attempt at scenic effect. It is very probable
that the work was not appreciated. The king listened, with at
least an equal interest, to performances of very inferior pieces,
now completely forgotten, — for instance, the Judith of Boyer,
— and seems to have had no idea of the true merit of Athalie.
It was a period when the king, now in his fifty-third year, after
a life spent in great immorality, tried to make amends for his
sins by acts of piety, such as the revocation of the edict of toler-
ation, the persecution of the Huguenots and the Jansenists, and
those notorious measures for the welfare of the souls of his
Protestant subjects which history has branded as the dragon-
nades. While engaged in these and other religious and political
duties he needed to be entertained; but as worldly amusements
were no longer in order, sacred dramas had to be provided for;
but even these must now be shorn of all adventitious charms.
Athalie was not properly presented until after the king's death.
Since then it has held the stage, and the number of its admirers
has steadily increased.[1]

[1] A complete enumeration of Racine's works is beyond the scope of this
article. The student may consult the superb edition by Paul Mesnard in the
well-known series: "Les Grands Ecrivains de la France."

6. ATHALIE. — Racine was fifty-two years old when he produced this, the ripest work of his genius. Yet it is in this great tragedy that the early influence of Port-Royal most strikingly appears. In the flush of the success of his first secular dramas he had fallen out with his friends of Port-Royal, who deplored the worldly life he was then leading, and feared for the safety of his soul. After the appearance of *Phèdre* a reconciliation had taken place. Racine and the " great Arnauld " had met in tears, and since then the poet's sympathies seem to have been unwaveringly with Port-Royal.

Sainte-Beuve (*Port-Royal*, Vol. VI) has said that in order to write *Athalie*, a profoundly Christian poet was needed, brought up at Port-Royal, and who had faithfully returned to it. He admires the marvelous unity of *Athalie*, and adds : " It is a praise which must be given to all the pieces of Racine ; but in this case the praise fits with an inconceivable exactness. From the first lines to the last, the element of solemnity (*le solennel*) represented to the eyes objectively and in action, the solemnity of things eternal (*le solennel-éternel*) seizes us and holds us to the end. The variation is only that of a stop in an immense organ when the majestic sound-waves rise more or less, but when there is not an element of the sound that does not contribute to the solemn and infinite majesty."

The tragedy opens with a characteristic scene, a conversation, in the early hours of the morning of the day of Pentecost, between Abner and Jehoiada. Rapidly, but in the most natural manner, the whole situation is unfolded before us. The misdeeds of Athaliah ; the marvelous rescue of young Joash ; his education in the temple ; the fearless attitude of the High Priest whose confidence in the promises of the Most High nothing can shake ; and the sweet spirit of faith in God the Father beautifully expressed in the admirable verses of the chorus at the end of the first act : all these elements combine to produce a profound interest and put the spectator in the proper attitude for what follows. The action proceeds with a directness and vivid force that allow no flagging of interest. There is no superfluous ornament, no splendor of hollow declamation. While the dramatic conflict is largely represented by recitation, we do not miss the absence of action, because the dramatic interest is chiefly in the feelings which are vividly presented. The grand scene of Jehoiada's prophecy, and the scene in the fifth act, when Athaliah stands in presence of the young king, surrounded by the armed priests and Levites in the temple, has never been surpassed in impressive grandeur on the stage.

It should be noticed, also, how the various characters gradually unfold themselves. Each scene adds some feature. The characters stand before us real and natural. This is particularly true of Jehoiada, whose majestic form towers above all the rest. The poet has followed the scriptural record so closely that the consummate art of his character-drawing does not at first excite the admiration it deserves. It is the height of art "which hides art" that we must admire. Well might Voltaire say: "La France se glorifie d'Athalie. C'est le chef-d'œuvre de notre théâtre; c'est celui qui approche le plus de la perfection."

William Schlegel, in his "Lectures on Dramatic Literature," says of *Athalie:* "A breath unique and divine animates the whole tragedy, and this genuinely pious inspiration bears witness to the sincerity of the feelings of the poet quite as much as does his entire life."

7. DEATH OF RACINE. — About two years before his death Racine lost the favor of the king. It has often been stated (for instance, by Louis Racine) that this was due to a memoir on the misery of the people, which he is said to have written at the suggestion of Madame de Maintenon, and which the king had accidentally seen. This is doubtful. No such memoir exists, and no real evidence has been produced that it was ever written. What is known, however, as one of the probable causes of the poet's loss of favor, seems to furnish a partial

explanation. The poet had complained of a certain heavy tax imposed on him by virtue of an office for which he had but recently paid ten thousand livres to the widow of his predecessor. This might not have been serious, but about the same time he published a defense of the nuns of Port-Royal, who had been used with the most shameless injustice. To the bigoted king such a defense amounted to a criticism of the king himself, and he may have looked upon its author as little short of a rebel. The king had never known contradiction. Abject flattery was the rule, and Racine himself had often indulged in it. In a discourse at the *Académie*, on the reception of Thomas Corneille, he had spoken of the king as the "wisest and most perfect of all men," whom it was happiness "to approach and to study in the smallest acts of his life," "always calm, always master of himself, without inequality, without weakness."

Very likely, the poet, at the age of fifty-seven, was no longer the courtier of his younger days. Flattery was no longer easy to him, and so he lost the favor of a king who had never respected any opinion but his own. The blind tool of his spiritual advisers, he looked upon Jansenism as a doctrine no less hateful and dangerous than Protestantism, and, accordingly, treated the devout Catholic Jansenists with the same fanatical wrath that he had shown in his treatment of the Huguenots. It is supposed that Racine took the matter so seriously to heart that his death, April 22, 1699, was hastened thereby, though its direct cause was an abscess of the liver.

His friendship with Boileau continued to the hour of his death. In a letter to his son Louis, written shortly before his death, he had called Boileau the best friend and the best man in the world. Almost his last words were directed to this friend: "C'est un bonheur pour moi de mourir avant vous."

8. CONCLUSION. — Racine has often been compared with other poets. Of his *Athalie* Sainte-Beuve has said that he "envies those critics who have the ability of judging with the same competency Racine's *Athalie* and the *Antigone* of Sophocles." Ra-

cine's art was formed by the study of Greek models. He owes much to Sophocles, still more to Euripides; but he is nowhere a mere imitator. The limitations of the Greek stage were adopted by the French stage, which prevented the expansion of the drama into Shakespearean proportions. This process commenced in the sixteenth century and was completed early in the seventeenth. Jodelle (1532–1573) produced, in his *Cléopâtre* (1552), the first French tragedy, in imitation of the Greek drama, with choruses, and a strict observance of the three unities: of time, place and action. Garnier (1545–1590) and Montchrestien (1575–1621) were his most distinguished successors in the sixteenth century; Mairet (1604–1686), Pierre Corneille, and Racine, in the seventeenth. Mairet's *Sophonisbe* (1629) presents all the essential features of the regular tragedy, with its " style noble," the absence of the comic element, and its strict regard for the unities. This type henceforth prevailed, and even Corneille, after a timid attempt to introduce a somewhat freer movement found in the Spanish original of his ' Cid,' was compelled to adhere to the classic mould. Racine nowhere even made the attempt; but he succeeded in infusing into his pieces a very high degree of *dramatic* action, in the sense of the Greek tragedy, and as this action is most concerned with the feelings, the comparative lack of *theatrical* action is of little importance. In his secular dramas he is the interpreter of the taste and feelings of his contemporaries; but he never loses out of sight the purely human element, so that he appeals to men's sympathies even to-day. He excelled in the delineation of female character, while the male characters of his secular pieces generally suffer from the influence of the court. The men in these pieces are like the king: *they allow themselves to be loved;* they are more or less weak, often effeminate, treating gallantry as the great business of life. But these inequalities disappear in *Athalie.* Here the poet seems to be himself and to speak out the true feelings of his heart. As compared with Corneille we must admit that he does not arouse the same enthusiasm which Corneille does in his best scenes. On the other hand, he is much more true to human nature, he draws men as they are, and he is free from Corneille's often intolerable bombast. Racine is by far the greater artist of the two. Good taste is the next thing to good morals, and generally helps good morals; and good taste is exactly the quality which Racine helps to develop. We must not forget that the age was characterized by the triumph of all that is artificial. The immense wig, the beauty-patches, the excessive skirts and trains of the ladies; the simpering euphuism known as Marinism, or Gongorism, which from Italy and Spain had spread over the rest of Europe, leaving its influence even on Shakespeare; the artificial gardens, the absurdly minute ceremonial insisted on by the king, and many other facts and circumstances furnish conclusive evidence of the truth of this statement. Racine could not escape such influences entirely; but he deserves great credit for having produced in *Athalie* a work that is almost absolutely free from them, and which is great "for all time" in spite of them. A recent writer, Professor Paul Stapfer, in his work, *Racine et Victor Hugo* (Paris, 1890), is emphatic in calling Racine the greatest artist since Sophocles. He says:

"The superiority of Racine is evidently restricted to the drama. . . . But in these narrow limits Racine is a *creative artist* in the full sense of the term. . . . His works are beautiful with that divine beauty which time does not alter. While Corneille's pieces have been covered by an archaic rust, while Victor Hugo's dramas pay for their superficial brilliancy by a precocious ageing, and, after a space of forty years, already appear to us like monuments of another age, Racine's works preserve a vigor of youth which will resist, as we may affirm after a trial of two centuries, all the changes of language and fashion. To what does he owe this always flourishing health? . . . in the first place, he owes it to the perfection with which we find realized in them the ideal of dramatic poetry." (Pp. 24–26.)

In the study of *Athalie* this almost unrivalled perfection will clearly appear. "*Athalie*," says Sainte-Beuve, "is as beautiful as King Oedipus with the true God added!"

II.

VERSIFICATION.

1. RACINE'S VERSE. *Athalie* offers some peculiar advantages for the study of French versification. We can study in it not only the most perfect form of the classic Alexandrine, but also a great variety of other meters which occur in the lyrical passages of the "chorus."

As to the high esteem in which Racine's poetry is held, the following opinion of a modern writer, Becq de Fouquières, in the preface, pages xv and xvi, of his *Traité de Versification française*, may testify : " Racine, the purest and most delicate poet by whom French literature is honored, after two centuries of renown is still beyond the admiration of those who believe they know him best. His genius has secrets which reveal themselves only to penetrating study pursued from generation to generation ; and his verses, like those of a Homer and a Virgil, are imperishable models in which future ages will continue to discover new beauties."

In the poetry of recent times, in spite of occasional deviations, the rules of classic versification as observed by Racine prevail so largely that even to-day Racine's verses are the model for at least seventy-five per cent of the best poetry of this century. Nor is there any innovation of value in the modern system of so-called *romantic* versification for which we do not find examples in Racine.

2. GENERAL RULES. While the rhythmic movement of French poetry depends largely on accent, as will hereafter be shown, French prosody rests primarily on the number of syllables. The syllables are counted, not measured. French verse-lines of most frequent use may contain from two to twelve pronounced syllables. The last sonorous syllable of any line must rhyme with a corresponding syllable in another line. Rhyme-syllables which are followed by a syllable in *e* mute, or

the ending *ent* of verbs, which is equivalent to a mute *e*, are called "feminine" rhymes; for instance, *journée — donnée; magnifique — portique*. The mute *e* at the end of a line is not pronounced, and forms no syllable for the ear, so that the number of pronounced syllables in the line is not increased by it. All other rhymes are called "masculine"; among these are included verbal terminations in *aient*, *aies*, and the verb *soient*. These, wherever found, count each only as one syllable. Examples: *jour — tour; éternel — solennel*. It is a rule in French versification that masculine and feminine rhymes must alternate in a certain order, though this order may greatly vary in different kinds of verse.

When there are eight or more syllables, but less than twelve, in a line, there is a rest, called "caesura," generally at the end of the fourth syllable; while in the twelve-syllabled line this rest comes after the sixth syllable, thus dividing the line into two halves or "hemistichs." This line has received the name of Alexandrine (*vers alexandrin*), from the use made of it in an early epic which has for its subject Alexander the Great. This is the explanation now generally accepted. The Alexandrine has, however, been found also in earlier poems.

3. SYLLABIC SCANSION. Observing the rules thus far given, and remembering that the mute *e* counts for a syllable in the body of the line, except when its position before a vowel leads to its complete elision, we may now scan by syllables a few of the verse-lines in *Athalie*.

Line 1.   Oui, je viens dans son tem ‖ pl(e) ador er l'Eternel,   = 12

2.   Je viens, selon l'usa ‖ g(e) antiqu(e) et solennel,   = 12

3.   Célébrer avec vous ‖ la fameuse journée   = 12

4.   Où sur le mont Sina ‖ la loi nous fut donnée.   = 12

4. SCANNING BY ACCENT. To speak French without an accent is generally considered an accomplishment; but if there were no accent in the French language, Edgar A. Poe would have been right in saying [1] that the language had no verse because it had no accent. The truth is that the French accent is not as strongly marked as the English accent, and that it often amounts rather to a change of pitch than to that strong emphasis (ictus) which is called accent in English. For rhythmical purposes we recognize the accent on the last sonorous syllable of a word of more than one syllable (not counting finals in *e* mute). This accent Gaston Paris, in his well-known *Etude sur le rôle de l'accent latin dans la langue française*, has identified as the old Latin accent which " persisted in the French language "; that is to say : " The syllable in French words on which the principal accent rests, commonly called the last sonorous syllable, is the same as the Latin acute." It rests on the last syllable because the language dropped all the syllables that followed the accent, except those ending in *a*, which vowel was weakened into *e*, and occasionally a letter or syllable which was needed to preserve the pronunciation of the preceding accented syllable. Thus we get *père* through *pedre* from *pa'trem* ; *fille* from *fi'liam* ; *nation* from *natio'nem* ; *feuille* from *foliam*, etc. Besides this original Latin accent there is another accent to be noted, an accent not regularly found on certain syllables, but shifting in its nature, and therefore useful in preventing monotony. It is the accent a word may have by virtue of comparative importance in respect to others that precede or follow it. For instance, in line 64 (*Athalie*),

Je crains Dieu, cher Abner, et n'ai point d'autre crainte,

the words *Dieu* and *point* are comparatively more important, because emphatic, than the words *je crains* and *et n'ai*, and we therefore divide the line as follows, ending each group with an accented syllable :

Je crains Dieu | cher Abner || et n'ai point | d'autre crainte.

---

[1] See the article *Rationale of Verse* in the third volume of his works.

It would also appear that the first word of the first line: *Oui*, has this special accent of emphasis, because it affirms something that is supposed to have been just said. This shifting accent has received the name "sentence accent," or "oratorical accent" (*accent oratoire*), while the syllabic accent on the last sonorous syllable is called "tonic accent" (*accent tonique*).

We must further notice that certain words which can have no independent existence are naturally without any accent. Such are the articles, conjunctive pronouns, pronominal adjectives, conjunctions, prepositions, and the auxiliary verbs *être* and *avoir*. And, finally, by analogy with the rule that places the principal accent on the last sonorous syllable of a word, there is an accent on the last sonorous syllable of phrases and short sentences, which are treated as units resembling words of several syllables. This accent is found also in prose, in phrases like *avec plaisir*, *s'il vous plaît*; which may be compared with the following, found in lines 1–4 of *Athalie : dans son temple — selon l'usage — avec vous — sur le mont*.

By observing these rules we are enabled to scan French verses by dividing them into their rhythmic elements. The name "metric feet" does not seem applicable to these elements, and there are objections to comparing them to classic meters such as anapaests, paeons, etc. But such scanning will reveal an astonishing variety of rhythms, though, on account of the great evenness of intonation in the delivery of French verses, which makes it difficult to recognize the accent, it requires a practiced ear to appreciate their subtle beauty. Applying these principles to the lines previously quoted, we can readily make the following scansion :

Line

1. Oui | je viens dans son tem ‖ pl(e) adorer | l'Éternel | 1, 5 ‖ 3, 3.
2. Je viens | selon l'usa ‖ g(e) anti | qu(e) et solennel | 2, 4 ‖ 2, 4.
3. Célébrer | avec vous ‖ la fameu | se journée | 3, 3 ‖ 3, 3.
4. Où | sur le mont Sina ‖ la loi | nous fut donnée | 1, 5 ‖ 2, 4.

We thus find for each line four rhythmic elements, but these elements differ in their composition, the figures on the margin indicating the number of syllables in each. We mark *Où*, in line 4, as having the sentence accent, because it belongs to *la loi*, etc., and the phrase *sur le mont Sina* interrupts this connection, thereby leaving *Où* prominent. In the same way may be scanned the *vers libres* of the chorus, this name being given to them on account of the difficulty of classifying them.

Ex.: ll. 371–74.

O divi | n(e)ô charman | te loi !	3, 3, 2 (or 3, 5).
O justi | c(e)ô bonté | suprême !	3, 3, 2 (or 3, 5).
Que de raisons, || quelle douceur | extrême,	4, 4, 2 (or 4, 6).
D'engager | à ce Dieu || son amour | et sa foi !	3, 3, 3, 3.

5. SPECIAL RULES. (*a*) *The Cæsura*. The general character of the cæsura has been already described. It should always follow an accented syllable, but this may be the last sonorous syllable of a word ending in *e* mute, provided the next word commences with a vowel. The preceding mute *e* will then be elided. Lines 1 and 2 of *Athalie* show this in *tem‖pl(e) adorer* and *l'usa‖g(e) antique*. The cæsura should not tear apart words naturally connected, that is, it should coincide with the sense unit of the hemistich, according to Boileau's rule :

> " Ayez pour la cadence une oreille sévère;
> Que toujours dans vos vers *le sens, coupant les mots,*
> *Suspende l'hémistiche, en marque le repos.*"

The rule is perfectly observed in these three lines. It is also regularly observed in Racine's verses, but exceptions occur. We have seen that the regular cæsura enables us to divide the Alexandrine into four rhythmic elements. But if this cæsura should separate words closely connected with each other, the modern rule of scansion according to accent would displace the cæsura and thereby cause the division of the line into only three elements.

A few Alexandrines are found in *Athalie* which are not easily divisible into four rhythmic groups. For instance, the classic scansion of line 1267 :

Il faut \| que vous soyez \|\| instruit \| même avant tous,

may be changed into the modern (the so-called "romantic") scansion:

> Il faut | que vous soyez instruit | même avant tous.

Line 1575:

> Par quel mira | cl(e) a-t-on ‖ obtenu | votre grâce?

might be:

> Par quel mira | cl(e) a-t-on obtenu | votre grâce?

and further, line 1102 should be, on the same principle, scanned thus:

> Tout a fui; | tous se sont séparés | sans retour.

If this scanning, which is strictly in accordance with the modern rules, be permissible, we have in these lines the exact prototypes of what is called the "romantic" Alexandrine, differing from the "classic" in that its rhythmic division is in three elements instead of four.

Practically the question is of far less consequence than theoretically, for in the delivery of French verses the natural and logical connection of words has, probably, at no time been sacrificed to the cæsura, and the delivery is so even that the cæsura itself is now largely a matter of theory rather than of rigid practice.

(*b*) *Enjambement* (Overflow). By this term (from *enjamber*, to step over or across) is meant the running over of a sentence beginning in one line into the next line. In classic poetry this was allowed if the sentence thus carried over took up the entire following line. For instance, lines 719 and 720 in *Athalie*:

> "Je n'aurais pas du moins à cette aveugle rage
> Rendu meurtre pour meurtre, outrage pour outrage," etc.

It was also allowed, if the sentence thus carried over was suddenly interrupted, and therefore not finished. An example occurs in line 654 (beginning l. 652):

> "La douceur de sa voix, son enfance, sa grâce,
> Font insensiblement à mon inimitié
> Succéder . . . Je serais sensible à la pitié!"

The *enjambement* was not allowed in other cases. In modern poetry the rule is often violated. The most striking illustration is the often quoted beginning of Hugo's *Hernani* :

> " Serait-ce déjà lui? C'est bien à l'escalier
> Dérobé. Vite, ouvrons," etc.

To let the adjective belonging to *escalier* find a place in the following line was a most flagrant, and of course, intended, violation of the classic rule. But even for this bold innovation we have a near approach, if not an exact example, in *Athalie*. (Cp. ll. 499, 500) :—

> " Je te plains de tomber dans ses mains redoutables,
> Ma fille.— En achevant ces mots," etc.

It is true the sense is not interrupted, but *Ma fille* certainly belongs closely to the preceding sentence.

(*c*) *The Rhyme.* French poets are required to pay strict attention to the quality of rhyming vowels, but they have some latitude as to the quantity. For instance *e* acute (*é*) cannot rhyme with grave *e* (*è*), nor can the open *o* of *parole* rhyme with the close *o* in *saule*, *rôle*, etc. On the other hand, the short *a* or *o* will rhyme, by poetic license, with a long *a* or *o*, and the following rhyme pairs are found in the best poets : *păsse — făsse*, *âme — fĕmme*, *brăs — pās*, *mirācle — obstăcle*, *Antigŏne—trône*, *păsse — plăce*, etc. Equivalents will rhyme, if the final letters are the same. For instance *ant* rhymes with *ent*. An *x* or *z* final will be reckoned equal to *s*, because in linking these letters, their sound value is uniformly = *z*. Therefore *beaux* rhymes with *flots* ; *courroux* with *vous*. The same rule holds good for *d* and *t*, *g* and *c*, (also *q*), because in linking, *d* is equivalent to *t*, *g* to *c* or *q* (= *k*). Therefore the following words rhyme : *sang —blanc*, *grand — tant*, *choc — coq*.

The principle of linking — though the case but seldom arises where a final consonant is linked with the first word of the next line — accounts for another peculiarity. Words and syllables may have exactly the same pronunciation, but unless they terminate alike they will not constitute rhymes. For instance *Je crois* and *la loi* have the same sound, but in order to rhyme the verb *crois* must be deprived of its *s*. This may be done with this verb and a few others, like *je suis, je dois*, also with the noun *Charles*. We find therefore : *je doi — loi, je sui — lui, je croi — roi*, etc. On the other hand, if the eye is satisfied, the rhyme itself may be sometimes imperfect. This is especially the case when the rhyming words end in *r* or *s*, and when in the one word this letter is silent, while it is sounded in the other. Examples in *Athalie* are found in lines 845–6, *Josabeth* (pr. *Josabèt*, with the *t* sound)— *secret*; 1287–8, *pas — Ochozias*, 1533–4, *pas — Joas*; 1677–8, *Joas — soldats*. Words spelled exactly alike, but denoting different ideas, rhyme; for instance, *pas*, step, rhymes with *pas*, the negative.

On the principle of linking, the following rhymes are allowed : *coups — cous, grands — tyrans*, but *danger* does not rhyme with *mangé*, though the vowel sounds are exactly alike, nor can *dangers* rhyme with *mangés*, though they have the same consonant as final. This exception of *ers*, *és* should be specially noted, as it contradicts the rule. Modern poets will occasionally violate one or the other of these rules. Victor Hugo has rhymed *Mai = Mè*, with *pensai = pensé*. The imperfect *pensais = pensè* would have made a rhyme for the ear, but not for the eye.[1]

A verb singular cannot rhyme with a verb plural, though both end in the same letter, and have the same sound. For instance : *aimait* cannot rhyme with *aimaient*.

(*d*) *Division of Rhymes*. Rhymes are divided into "sufficient," "rich," and "overrich" rhymes.

A "sufficient" rhyme contains a vowel (with or without a following consonant) that must be identical with, or equivalent to, the corresponding rhyme, while the consonants preceding it are different. Thus *loi — foi, fort — tort* are sufficient rhymes. The syllable *er*, although the *r* is generally silent, also counts for a sufficient rhyme, but the accented *é*, which has the same sound,

---

[1] See Hugo's Livre Lyrique, 25 Mai, 1854.

does not count as a rhyme unless it is preceded by the *same* consonant in both rhyming endings. It is then called a *rich* rhyme. For instance, *aimé — tombé* do not constitute *sufficient* rhymes, though their infinitives *aimer — tomber*, having the same sound, do. But *aimé* rhymes with *semé*, *tombé* with *flambé*, as *rich* rhymes, because in both pairs of words the *é* is preceded by the same consonant. The poets sometimes rhyme *er* with *r* silent, and *er* with *r* pronounced, as, for instance, *cher* with *touche(r)* ; *fier — associe(r)*, *fiers — premie(rs)*, etc.

"Rich" rhymes are those in which the sonorous vowel and a preceding consonant are alike, and which have the same or equivalent finals. For instance, *champs* and *chants* are rich rhymes; but *champ* and *chant* do not rhyme at all, because their final letters, if linked would produce a different effect. "Overrich" rhymes are those which rhyme not only in the final sonorous syllable as here explained, but also in the preceding, for instance, *colère — tolère*.

(*e*) *The Hiatus.— The Mute E*. French prosody forbids the hiatus in the body of the line between words, that is, a word ending in a sonorous vowel must not stand directly before a word commencing with a vowel. Therefore combinations like the following are not allowed : *tu es, tu étais, tu as, tu avais*, etc., *il y a, là où, à elle*, etc. This rule does not apply to nasal vowels, but it includes combinations like *et elle, et aussi*, etc., because the *t* of *et* is always absolutely silent and *never linked*.

A mute final *e* does not cause hiatus with a following vowel, because it is then completely elided. On the other hand, words in which a mute *e* final is *preceded by a vowel* must not stand before a word commencing with a consonant, because in that case this *e* cannot be elided, but counts as a syllable and has the full value of a vowel. In l. 21 *Athalie* stands before *à* ; as this word is a vowel, the mute *e* is elided and the hiatus is permitted. If *pour* had been used instead of *à*, the word *Athalie* would constitute a fault in prosody. We have the same case in l. 6 : *La trompette sacrée annonçait*, etc. A curious rule requires that the plural forms of such words as *vie*, *armée*, *rue*, that is *vies*, *ar-mées*, *rues*, are treated as though their *s* belonged to the next word. This rule is extended to the plurals of verbs, like *ils louent*, *ils prient*, also to the second person, *tu loues*, *tu pries*. None of these are allowed to stand in the body of the verse. The verb endings *aient*, *aies*, and the verb *soient* have been already noticed as exceptions.

(*f*) *Diphthongs*. Two vowels meeting in the body of a word may constitute a diphthong, and in that case they consti-tute only one syllable. Such are the *ie* in the verbs *je viens*, *je tiens*, etc., in the adjective *fier*, etc. In other cases each vowel may mark a syllable, as, for instance, in the termination *tion*, *nation* being therefore a word of three syllables. The general rule is, that if such vowels represent distinct syllables in the Latin, they do so in French, but if they stand for a single Latin vowel, as *ie* in *viens* from *ven-io*, or if they are due to attraction, as in cases where the *i* of an *unaccented* final syllable crept into the *accented* syllable, for instance in *héritier*, *lumière*, the two vowels are treated as diphthongs and counted as *one* syllable. Thus we have *fier*, one syllable, adjective from *fer-us*, while *fi-er*, the verb, has two syllables, coming from *fidare*. The verbal terminations *ions*, *iez*, constitute *one* syllable, but they are treated as constituting two syllables when preceded by a mute (or corresponding sonant) and a liquid. Therefore, in line 320, *publions* is a word of three syllables: *pu-bli-ons*. The ending *ien* when denoting nationality or a profession, consists of two syllables: *co-mé-di-en — Ty-ri-en*, otherwise as one syllable. *Lien* is a word of two syllables, by exception. The combination *ui* is generally of one syllable, even when the *i* represents an original *c*, as in *conduit*, *produit*, etc. *ua* is generally dissyllabic as in *nuage = nu-age*, *persu-a-der*. *hier* is found in our text as dissyllabic.

6. CONCLUSION. The practice, now largely prevailing, of reading and reciting French poetry as though it were prose, has been censured by Legouvé, of the French Academy, in his *L'Art*

de la Lecture. He says, "To judge from the method, pursued even on the stage, the great art of reading verses is to make the hearer believe that it is prose." And further, "Since there is a rhythm, cause the rhythm to be felt. Since there are rhymes, cause the rhymes to be perceived." While we welcome such expressions as pointing to a much needed reform, we must warn the student to be prepared to meet with the objectionable practice. In no case can a student of French, if he really wishes to be benefited by his study, afford to slight the rules of French prosody. Poetry is too important a part of literature to be treated otherwise than with respect, and while its contents may claim our first attention, its form should also be carefully studied, for if we deprive it of this form, poetry ceases to be poetry and becomes prose.

ATHALIE.

PRÉFACE DE L'AUTEUR.

Tout le monde sait que le royaume de Juda était composé des deux tribus de Juda et de Benjamin, et que les dix autres tribus qui se révoltèrent contre Roboam composaient le royaume d'Israël. Comme les rois de Juda étaient de la maison de David, et qu'ils avaient dans leur partage la ville et le temple de Jérusalem, tout ce qu'il y avait de prêtres [1] et de lévites se retirèrent [2] auprès d'eux, et leur demeurèrent toujours attachés : car, depuis que le temple de Salomon fut bâti, il n'était plus permis de sacrifier ailleurs ; et tous ces autres autels qu'on élevait à Dieu sur des montagnes, appelés par cette raison dans l'Écriture *les hauts lieux*, ne lui étaient point agréables. Ainsi le culte légitime ne subsistait plus que dans Juda. Les dix tribus, excepté un très-petit nombre de personnes, étaient ou idolâtres ou schismatiques.

Au reste, ces prêtres et ces lévites faisaient [3] eux-mêmes une tribu fort nombreuse. Ils furent partagés en diverses classes pour servir tour à tour dans le temple, d'un tour de sabbat à l'autre. [4] Les prêtres étaient de la famille d'Aaron ; [5] et il n'y avait que ceux de cette famille lesquels [6] pussent exercer la sacrificature. Les lévites leur étaient subordonnés, et avaient soin, entre autres choses, du chant, de la préparation des victimes et de la garde du temple. Ce nom de lévite ne laisse pas d'être donné [7] quelquefois

indifféremment à tous ceux de la tribu. Ceux qui étaient
en semaine [1] avaient, ainsi que le grand-prêtre, leur loge-
ment dans les portiques ou galeries dont le temple était en-
vironné, et qui faisaient partie du temple même. Tout
l'édifice s'appelait en général *le lieu saint :* mais on appelait
plus particulièrement de ce nom cette partie du temple in-
térieur où étaient le chandelier d'or, l'autel des parfums, et
les tables des pains de proposition ; [2] et cette partie était
encore distinguée du Saint des Saints, où était l'arche,
et où le grand-prêtre seul avait droit d'entrer une fois
l'année. C'était une tradition [3] assez constante, que la montagne sur laquelle le temple fut bâti était la même montagne où Abraham avait autrefois offert en sacrifice son fils
Isaac.

J'ai cru devoir expliquer ici ces particularités, afin que
ceux à qui l'histoire de l'Ancien Testament ne sera pas assez
présente, n'en soient point arrêtés en lisant cette tragédie.
Elle a pour sujet Joas reconnu et mis sur le trône, et j'aurais dû, dans les règles, l'intituler Joas ; mais la plupart du
monde n'en ayant entendu parler que sous le nom d'Athalie, je n'ai pas jugé à propos de la leur présenter sous un
autre titre, puisque d'ailleurs Athalie y joue un personnage
si considérable, et que c'est sa mort qui termine la pièce.
Voici une partie des principaux événements qui devancè-
rent cette grande action.

Joram, roi de Juda, fils de Josaphat, et le septième roi de
la race de David, épousa Athalie, fille d'Achab et de Jézabel, qui régnaient en Israël, fameux l'un et l'autre, mais
principalement Jézabel, par leurs sanglantes persécutions
contre les prophètes. Athalie, non moins impie que sa
mère, entraîna bientôt le roi son mari dans l'idolâtrie, et fit
même construire dans Jérusalem un temple à Baal, qui était

le dieu du pays de Tyr et de Sidon, où Jézabel avait pris
naissance.   Joram, après avoir vu périr par les mains des
Arabes et des Philistins tous les princes ses enfants, à la
réserve d'Ochozias, mourut lui-même misérablement d'une
longue maladie qui lui consuma les entrailles.   Sa mort
funeste n'empêcha pas Ochozias d'imiter son impiété et
celle d'Athalie sa mère.   Mais ce prince, après avoir régné
seulement un an, étant allé rendre visite au roi d'Israël,
frère d'Athalie, fut enveloppé dans la ruine de la maison
d'Achab, et tué par l'ordre de Jéhu, que Dieu avait fait
sacrer [1] par ses prophètes pour régner sur Israël, et pour
être le ministre de ses vengeances.   Jéhu extermina toute
la postérité d'Achab et fit jeter par les fenêtres Jézabel, qui,
selon la prédiction d'Élie, fut mangée des chiens dans la
vigne de ce même Naboth qu'elle avait fait mourir autrefois pour s'emparer de son héritage.   Athalie, ayant appris
à Jérusalem tous ces massacres, entreprit de son côté d'é-
teindre entièrement la race royale de David, en faisant
mourir tous les enfants d'Ochozias ses petits-fils.   Mais
heureusement Josabeth, sœur d'Ochozias, et fille de Joram,
mais d'une autre mère qu'Athalie, étant arrivée lorsqu'on
égorgeait les princes ses neveux, trouva moyen de dérober
du milieu des morts le petit Joas encore à la mamelle, et le
confia avec sa nourrice au grand-prêtre son mari, qui les
cacha tous deux dans le temple, où l'enfant fut élevé se-
crètement jusqu'au jour qu'il fut proclamé roi de Juda.
L'histoire des Rois dit que ce fut la septième année d'après.
Mais le texte grec des *Paralipomènes*,[2] que Sévère Sulpice[3] a suivi, dit que ce fut la huitième.   C'est ce qui
m'a autorisé à donner à ce prince neuf à dix ans, pour
le mettre déjà en état de répondre aux questions qu'on lui
fait.

Je crois ne lui avoir rien fait dire qui soit au-dessus de
la portée[1] d'un enfant de cet âge qui a de l'esprit et de la
mémoire. Mais quand j'aurais été[2] un peu au delà, il faut
considérer que c'est ici un enfant tout extraordinaire, élevé
dans le temple par un grand-prêtre, qui, le regardant
comme l'unique espérance de sa nation, l'avait instruit de
bonne heure dans tous les devoirs de la religion et de la
royauté. Il n'en était pas de même des enfants des Juifs
que de la plupart des nôtres :[3] on leur apprenait les saintes
lettres, non-seulement dès qu'ils avaient atteint l'usage de
la raison, mais, pour me servir de l'expression de saint
Paul, dès la mamelle.[4] Chaque Juif était obligé d'écrire
une fois en sa vie, de sa propre main, le volume de la loi
tout entier.[5] Les rois étaient même obligés de l'écrire
deux fois, et il leur était enjoint de l'avoir continuellement
devant les yeux. Je puis dire ici que la France voit en
la personne d'un prince de huit ans et demi,[6] qui fait aujourd'hui ses plus chères délices, un exemple illustre de ce
que peut dans un enfant un heureux naturel aidé d'une
excellente éducation ; et que si j'avais donné au petit Joas
la même vivacité et le même discernement qui brillent
dans les reparties de ce jeune prince, on m'aurait accusé
avec raison d'avoir péché contre les règles de la vraisem-
blance.

L'âge de Zacharie, fils du grand-prêtre, n'étant point
marqué, on peut lui supposer, si l'on veut, deux ou trois ans
de plus qu'à Joas.

J'ai suivi l'explication de plusieurs commentateurs fort
habiles, qui prouvent, par le texte même de l'Écriture, que
tous ces soldats à qui Joïada, ou Joad, comme il est appelé
dans Josèphe,[7] fit prendre les armes consacrées à Dieu par
David, étaient autant de prêtres et de lévites, aussi bien

que les cinq centeniers qui les commandaient.   En effet,
disent ces interprètes, tout devait être saint dans une si
sainte action, et aucun profane n'y devait être employé.   Il
s'y agissait [1] non-seulement de conserver le sceptre dans la
maison de David, mais encore de conserver à ce grand roi
cette suite de descendants dont devait naître le Messie :
"Car ce Messie tant de fois promis comme fils d'Abraham,
devait aussi être fils de David et de tous les rois de Juda." ·
De là vient que l'illustre et savant prélat [2] de qui j'ai emprunté ces paroles, appelle Joas le précieux reste de la maison de David.   Josèphe en parle dans les mêmes termes ;
et l'Écriture dit expressément, que Dieu n'extermina pas
toute la famille de Joram, voulant conserver à David la
lampe qu'il lui avait promise.   Or, cette lampe, qu'était-ce
autre chose que la lumière qui devait être un jour révélée
aux nations. [3]

L'histoire ne spécifie point le jour où Joas fut proclamé.
Quelques interprètes veulent [4] que ce fut un jour de fête.
J'ai choisi celle de la Pentecôte, [5] qui était l'une des trois
grandes fêtes des Juifs.   On y célébrait la mémoire de la
publication de la loi sur le mont de Sinaï, et on y offrait
aussi à Dieu les premiers pains de la nouvelle moisson : ce
qui faisait qu'on la nommait encore *la fête des prémices*. [6]
J'ai songé que ces circonstances me fourniraient quelque
variété pour les chants du chœur.

Ce chœur est composé de jeunes filles de la tribu de
Lévi, et je mets à leur tête une fille que je donne pour sœur
à Zacharie.   C'est elle qui introduit le chœur chez sa mère.
Elle chante avec lui, porte la parole pour lui, et fait enfin
les fonctions de ce personnage des anciens chœurs qu'on
appelait le coryphée.   J'ai aussi essayé d'imiter des anciens cette continuité d'action qui fait que leur théâtre ne

demeure jamais vide, les intervalles des actes n'étant mar.
qués que par des hymnes et par des moralités[1] du chœur,
qui ont rapport à ce qui se passe.

On me trouvera peut-être un peu hardi d'avoir osé
mettre sur la scène un prophète inspiré de Dieu, et qui
prédit l'avenir.   Mais j'ai eu la précaution de ne mettre
dans sa bouche que des expressions tirées des prophètes
mêmes.   Quoique l'Écriture ne dise pas en termes exprès
que Joïada ait eu l'esprit de prophétie, comme elle le dit
de son fils, elle le représente comme un homme tout plein
de l'esprit de Dieu.   Et d'ailleurs ne paraît-il pas, par l'É-
vangile, qu'il a pu prophétiser en qualité de souverain
pontife?   Je suppose donc qu'il voit en esprit le funeste
changement de Joas, qui, après trente années d'un règne
fort pieux, s'abandonna aux mauvais conseils des flatteurs,
et se souilla du meurtre de Zacharie, fils et successeur de
ce grand-prêtre.   Ce meurtre, commis dans le temple, fut
une des principales causes de la colère de Dieu contre les
Juifs, et de tous les malheurs qui leur arrivèrent dans la
suite.   On prétend même que depuis ce jour-là les ré-
ponses de Dieu cessèrent entièrement dans le sanctuaire.
C'est ce qui m'a donné lieu de faire prédire tout de suite
à Joad[2] et la destruction du temple et la ruine de Jérusalem.   Mais comme les prophètes joignent d'ordinaire les
consolations aux menaces, et que d'ailleurs il s'agit[3] de
mettre sur le trône un des ancêtres du Messie, j'ai pris
occasion de faire entrevoir la venue de ce consolateur,
après lequel tous les anciens justes soupiraient.   Cette
scène, qui est une espèce d'épisode, amène très naturelle-
ment la musique, par la coutume qu'avaient plusieurs prophètes d'entrer dans leurs saints transports au son des
instruments : témoin cette troupe de prophètes qui vinrent

au-devant de Saül avec des harpes et des lyres qu'on por-
tait devant eux ; et témoin Élisée lui-même, qui, étant
consulté sur l'avenir par le roi de Juda et par le roi d'Israël, dit, comme fait ici Joad : *Adducite mihi psaltem.*
Ajoutez à cela que cette prophétie sert beaucoup à augmen-
ter le trouble [1] dans la pièce, par la consternation et par les
différents mouvements où elle jette le chœur et les principaux acteurs.

ATHALIE

TRAGÉDIE TIRÉE DE L'ÉCRITURE SAINTE

PAR

J. RACINE

—

1691

9

NOMS DES PERSONNAGES.

JOAS, roi de Juda, fils d'Ochosias.

ATHALIE, veuve de Joram, aïeule de Joas.

JOAD, autrement JOÏADA, grand-prêtre. *Jehoida*

JOSABETH, tante de Joas, femme du grand-prêtre. *Joshiba*

ZACHARIE, fils de Joad et de Josabeth.

SALOMITH, sœur de Zacharie.

ABNER, l'un des principaux officiers des rois de Juda.

AZARIAS, ISMAËL, ET LES TROIS AUTRES CHEFS DES PRÊTRES ET DES LÉVITES.

MATHAN, prêtre apostat, sacrificateur de Baal. *Mattan*

NABAL, confident de Mathan.

AGAR, femme de la suite d'Athalie.

TROUPE DE PRÊTRES ET DE LÉVITES.

SUITE D'ATHALIE.

LA NOURRICE DE JOAS.

CHŒUR DE JEUNES FILLES DE LA TRIBU DE LÉVI.

La scène est dans le temple de Jérusalem, dans un vestibule de l'appartement du grand-prêtre.

ACTE PREMIER

SCÈNE I

JOAD, ABNER.

ABNER.

Oui, je viens dans son temple adorer l'Éternel :
Je viens, selon l'usage antique et solennel,
Célébrer avec vous la fameuse journée
Où sur le mont Sina la loi nous fut donnée.
Que les temps sont changés ! Sitôt que de ce jour   5
La trompette sacrée annonçait le retour,
Du temple, orné partout de festons magnifiques,
Le peuple saint en foule inondait les portiques ;
Et tous, devant l'autel avec ordre introduits,
De leurs champs dans leurs mains portant les nouveaux   10
      fruits,
Au Dieu de l'univers consacraient ces prémices :
Les prêtres ne pouvaient suffire aux sacrifices.
L'audace d'une femme, arrêtant ce concours,
En des jours ténébreux a changé ces beaux jours.
D'adorateurs zélés à peine un petit nombre   15
Ose des premiers temps nous retracer quelque ombre ;
Le reste pour son Dieu montre un oubli fatal,
Ou même, s'empressant aux autels de Baal,
Se fait initier à ses honteux mystères,
Et blasphème le nom qu'ont invoqué leurs pères.   20
Je tremble qu'Athalie, à ne vous rien cacher,

Vous-même de l'autel vous faisant arracher,
N'achève enfin sur vous ses vengeances funestes,
Et d'un respect forcé ne dépouille les restes.

JOAD.

D'où vous vient aujourd'hui ce noir pressentiment ?   25

ABNER.

Pensez-vous être saint et juste impunément ?
Dès longtemps elle hait cette fermeté rare
Qui rehausse en Joad l'éclat de la tiare ;
Dès longtemps votre amour pour la religion
Est traité de révolte et de sédition.   30
Du mérite éclatant cette reine jalouse
Hait surtout Josabeth, votre fidèle épouse.
Si du grand-prêtre Aaron Joad est successeur,
De notre dernier roi Josabeth est la sœur.
Mathan, d'ailleurs, Mathan, ce prêtre sacrilège,   35
Plus méchant qu'Athalie, à toute heure l'assiège,
Mathan, de nos autels infâme déserteur,
Et de toute vertu zélé persécuteur.
C'est peu que, le front ceint d'une mitre étrangère,
Ce lévite à Baal prête son ministère ;   40
Ce temple l'importune, et son impiété
Voudrait anéantir le Dieu qu'il a quitté.
Pour vous perdre il n'est point de ressorts qu'il n'invente ;
Quelquefois il vous plaint, souvent même il vous vante ;
Il affecte pour vous une fausse douceur ;   45
Et, par là de son fiel colorant la noirceur,
Tantôt à cette reine il vous peint redoutable,
Tantôt, voyant pour l'or sa soif insatiable,
Il lui feint qu'en un lieu que vous seul connaissez,
Vous cachez des trésors par David amassés.   50

Enfin, depuis deux jours la superbe Athalie
Dans un sombre chagrin paraît ensevelie.
Je l'observais hier, et je voyais ses yeux
Lancer sur le lieu saint des regards furieux ;
Comme si dans le fond de ce vaste édifice   55
Dieu cachait un vengeur armé pour son supplice.
Croyez-moi, plus j'y pense, et moins je puis douter
Que sur vous son courroux ne soit près d'éclater,
Et que de Jézabel la fille sanguinaire
Ne vienne attaquer Dieu jusqu'en son sanctuaire.   60

JOAD.

Celui qui met un frein à la fureur des flots
Sait aussi des méchants arrêter les complots.
Soumis avec respect à sa volonté sainte,
Je crains Dieu, cher Abner, et n'ai point d'autre crainte.
Cependant je rends grâce au zèle officieux   65
Qui sur tous mes périls vous fait ouvrir les yeux.
Je vois que l'injustice en secret vous irrite,
Que vous avez encor le cœur isra_lite.
Le ciel en soit béni ! Mais ce secret courroux,
Cette oisive vertu, vous en contentez-vous ?   70
La foi qui n'agit point est-ce une foi sincère ?
Huit ans déjà passés, une impie étrangère
Du sceptre de David usurpe tous les droits,
Se baigne impunément dans le sang de nos rois,
Des enfants de son fils détestable homicide,   75
Et même contre Dieu lève son bras perfide.
Et vous, l'un des soutiens de ce tremblant État,
Vous, nourri dans les camps du saint roi Josaphat,
Qui sous son fils Joram commandiez nos armées,
Qui rassurâtes seul nos villes alarmées,   80

Lorsque d'Ochozias le trépas imprévu
Dispersa tout son camp à l'aspect de Jéhu :
" Je crains Dieu, dites-vous ; sa vérité me touche !"
Voici comme ce Dieu vous répond par ma bouche :
" Du zèle de ma loi que sert de vous parer ?   85
Par de stériles vœux pensez-vous m'honorer ?
Quel fruit me revient-il de tous vos sacrifices ?
Ai-je besoin du sang des boucs et des génisses ?
Le sang de vos rois crie, et n'est point écouté.
Rompez, rompez tout pacte avec l'impiété ;   90
Du milieu de mon peuple exterminez les crimes ;
Et vous viendrez alors m'immoler vos victimes."

ABNER.

Hé ! que puis-je au milieu de ce peuple abattu ?
Benjamin est sans force, et Juda sans vertu :
Le jour qui de leurs rois vit éteindre la race   95
Éteignit tout le feu de leur antique audace.
" Dieu même, disent-ils, s'est retiré de nous :
De l'honneur des Hébreux autrefois si jaloux,
Il voit sans intérêt leur grandeur terrassée,
Et sa miséricorde à la fin s'est lassée :   100
On ne voit plus pour nous ses redoutables mains
De merveilles sans nombre effrayer les humains ;
L'arche sainte est muette, et ne rend plus d'oracles."

JOAD.

Et quel temps fut jamais si fertile en miracles ?
Quand Dieu par plus d'effets montra-t-il son pouvoir ?   105
Auras-tu donc toujours des yeux pour ne point voir,
Peuple ingrat ? Quoi ! toujours les plus grandes merveilles
Sans ébranler ton cœur frapperont tes oreilles ?

Faut-il, Abner, faut-il vous rappeler le cours
Des prodiges fameux accomplis en nos jours ?   110
Des tyrans d'Israël les célèbres disgrâces,
Et Dieu trouvé fidèle en toutes ses menaces ;
L'impie Achab détruit, et de son sang trempé
Le champ que par le meurtre il avait usurpé ;
Près de ce champ fatal Jézabel immolée,   115
Sous les pieds des chevaux cette reine foulée,
Dans son sang inhumain les chiens désaltérés,
Et de son corps hideux les membres déchirés ;
Des prophètes menteurs la troupe confondue,
Et la flamme du ciel sur l'autel descendue ;   120
Élie aux éléments parlant en souverain,
Les cieux par lui fermés et devenus d'airain,
Et la terre trois ans sans pluie et sans rosée ;
Les morts se ranimant à la voix d'Élisée :
Reconnaissez, Abner, à ces traits éclatants,   125
Un Dieu tel aujourd'hui qu'il fut dans tous les temps :
Il sait, quand il lui plaît, faire éclater sa gloire ;
Et son peuple est toujours présent à sa mémoire.

ABNER.

Mais où sont ces honneurs à David tant promis
Et prédits même encore à Salomon son fils ?   130
Hélas ! nous espérions que de leur race heureuse
Devait sortir de rois une suite nombreuse ;
Que sur toute tribu, sur toute nation,
L'un d'eux établirait sa domination,
Ferait cesser partout la discorde et la guerre,   135
Et verrait à ses pieds tous les rois de la terre.

JOAD.

Aux promesses du ciel pourquoi renoncez-vous ?

ABNER.

Ce roi, fils de David, où le chercherons-nous ?
Le ciel même peut-il réparer les ruines
De cet arbre séché jusque dans ses racines ?   140
Athalie étouffa l'enfant même au berceau :
Les morts, après huit ans, sortent-ils du tombeau ?
Ah ! si dans sa fureur elle s'était trompée !
Si du sang de nos rois quelque goutte échappée . . .

JOAD.

Hé bien ! que feriez-vous ?   145

ABNER.

                          O jour heureux pour moi !
De quelle ardeur j'irais reconnaître mon roi !
Doutez-vous qu'à ses pieds nos tribus empressées . . .
Mais pourquoi me flatter de ces vaines pensées ?
Déplorable héritier de ces rois triomphants,
Ochozias restait seul avec ses enfants :   150
Par les traits de Jéhu je vis percer le père ;
Vous avez vu les fils massacrés par la mère.

JOAD.

Je ne m'explique point ; mais quand l'astre du jour
Aura sur l'horizon fait le tiers de son tour,
Lorsque la troisième heure aux prières rappelle,   155
Retrouvez-vous au temple avec ce même zèle.
Dieu pourra vous montrer, par d'importants bienfaits,
Que sa parole est stable, et ne trompe jamais.
Allez : pour ce grand jour il faut que je m'apprête,
Et du temple déjà l'aube blanchit le faîte.   160

ABNER.

Quel sera ce bienfait que je ne comprends pas ?

L'illustre Josabeth porte vers vous ses pas.
Je sors, et vais me joindre à la troupe fidèle
Qu'attire de ce jour la pompe solennelle.

SCÈNE II

JOAD, JOSABETH.

JOAD.

Les temps sont accomplis, princesse : il faut parler,   165
Et votre heureux larcin ne se peut plus celer.
Des ennemis de Dieu la coupable insolence,
Abusant contre lui de ce profond silence,
Accuse trop longtemps ses promesses d'erreur.
Que dis-je ? Le succès animant leur fureur,   170
Jusque sur notre autel votre injuste marâtre
Veut offrir à Baal un encens idolâtre.
Montrons ce jeune roi que vos mains ont sauvé,
Sous l'aile du Seigneur dans le temple élevé.
De nos princes hébreux il aura le courage,   175
Et déjà son esprit a devancé son âge.
Avant que son destin s'explique par ma voix,
Je vais l'offrir au Dieu par qui règnent les rois :
Aussitôt assemblant nos lévites, nos prêtres,
Je leur déclarerai l'héritier de leurs maîtres.   180

JOSABETH.

Sait-il déjà son nom et son noble destin ?

JOAD.

Il ne répond encor qu'au nom d'Éliacin,

Et se croit quelque enfant rejeté par sa mère,
A qui j'ai par pitié daigné servir de père.

JOSABETH.

Hélas ! de quel péril je l'avais su tirer !   185
Dans quel péril encore il est près de rentrer !

JOAD.

Quoi ! déjà votre foi s'affaiblit et s'étonne ?

JOSABETH.

A vos sages conseils, seigneur, je m'abandonne.
Du jour que j'arrachai cet enfant à la mort,
Je remis en vos mains tout le soin de son sort ;   190
Même, de mon amour craignant la violence,
Autant que je le puis j'évite sa présence,
De peur qu'en le voyant quelque trouble indiscret
Ne fasse avec mes pleurs échapper mon secret.
Surtout j'ai cru devoir aux larmes, aux prières,   195
Consacrer ces trois jours et ces trois nuits entières.
Cependant aujourd'hui puis-je vous demander
Quels amis vous avez prêts à vous seconder ?
Abner, le brave Abner, viendra-t-il nous défendre ?
A-t-il près de son roi fait serment de se rendre ?   200

JOAD.

Abner, quoiqu'on se pût assurer sur sa foi,
Ne sait pas même encor si nous avons un roi.

JOSABETH.

Mais à qui de Joas confiez-vous la garde ?
Est-ce Obed, est-ce Amnon que cet honneur regarde ?
De mon père sur eux les bienfaits répandus . . .   205

JOAD.

A l'injuste Athalie ils se sont tous vendus.

JOSABETH.

Qui donc opposez-vous contre ses satellites?

JOAD.

Ne vous l'ai-je pas dit?　　Nos prêtres, nos lévites.

JOSABETH.

Je sais que, près de vous en secret assemblé,
Par vos soins prévoyants leur nombre est redoublé ;　　210
Que, pleins d'amour pour vous, d'horreur pour Athalie,
Un serment solennel par avance les lie
A ce fils de David qu'on leur doit révéler.
Mais, quelque noble ardeur dont ils puissent brûler,
Peuvent-ils de leur roi venger seuls la querelle ?　　215
Pour un si grand ouvrage est-ce assez de leur zèle ?
Doutez-vous qu'Athalie, au premier bruit semé
Qu'un fils d'Ochozias est ici renfermé,
De ses fiers étrangers assemblant les cohortes,
N'environne le temple, et n'en brise les portes ?　　220
Suffira-t-il contre eux de vos ministres saints,
Qui, levant au Seigneur leurs innocentes mains,
Ne savent que gémir et prier pour nos crimes,
Et n'ont jamais versé que le sang des victimes ?
Peut-être dans leurs bras Joas percé de coups . . .　　225

JOAD.

Et comptez-vous pour rien Dieu, qui combat pour nous ?
Dieu, qui de l'orphelin protège l'innocence,
Et fait dans la faiblesse éclater sa puissance ;

Dieu, qui hait les tyrans, et qui dans Jezraël
Jura d'exterminer Achab et Jézabel ;   230
Dieu, qui, frappant Joram le mari de leur fille,
A jusque sur son fils poursuivi leur famille ;
Dieu, dont le bras vengeur, pour un temps suspendu,
Sur cette race impie est toujours étendu ?

JOSABETH.

Et c'est sur tous ces rois sa justice sévère   235
Que je crains pour le fils de mon malheureux frère.
Qui sait si cet enfant, par leur crime entraîné,
Avec eux en naissant ne fut pas condamné ?
Si Dieu, le séparant d'une odieuse race,
En faveur de David voudra lui faire grâce ?   240
    Hélas ! l'état horrible où le ciel me l'offrit
Revient à tout moment effrayer mon esprit.
De princes égorgés la chambre était remplie ;
Un poignard à la main, l'implacable Athalie
Au carnage animait ses barbares soldats,   245
Et poursuivait le cours de ses assassinats.
Joas, laissé pour mort, frappa soudain ma vue.
Je me figure encor sa nourrice éperdue,
Qui devant les bourreaux s'était jetée en vain,
Et, faible, le tenait renversé sur son sein.   250
Je le pris tout sanglant.   En baignant son visage
Mes pleurs du sentiment lui rendirent l'usage ;
Et, soit frayeur encore, ou pour me caresser,
De ses bras innocents je me sentis presser.
Grand Dieu ! que mon amour ne lui soit point fu-   255
  neste !
Du fidèle David c'est le précieux reste ;
Nourri dans ta maison, en l'amour de ta loi,

Il ne connaît encor d'autre père que toi.
Sur le point d'attaquer une reine homicide,
A l'aspect du peril si ma foi s'intimide,   260
Si la chair et le sang, se troublant aujourd'hui,
Ont trop de part aux pleurs que je répands pour lui,
Conserve l'héritier de tes saintes promesses,
Et ne punis que moi de toutes mes faiblesses !

JOAD.

Vos larmes, Josabeth, n'ont rien de criminel ;   265
Mais Dieu veut qu'on espère en son soin paternel.
Il ne recherche point, aveugle en sa colère,
Sur le fils qui le craint l'impiété du père.
Tout ce qui reste encor de fidèles Hébreux
Lui viendront aujourd'hui renouveler leurs vœux.   270
Autant que de David la race est respectée,
Autant de Jézabel la fille est détestée.
Joas les touchera par sa noble pudeur,
Où semble de son sang reluire la splendeur ;
Et Dieu, par sa voix même appuyant notre exemple,   275
De plus près à leur cœur parlera dans son temple.
Deux infidèles rois tour à tour l'ont bravé :
Il faut que sur le trône un roi soit élevé,
Qui se souvienne un jour qu'au rang de ses ancêtres
Dieu l'a fait remonter par la main de ses prêtres,   280
L'a tiré par leur main de l'oubli du tombeau,
Et de David éteint rallumé le flambeau.
   Grand Dieu ! si tu prévois qu'indigne de sa race
Il doive de David abandonner la trace,
Qu'il soit comme le fruit en naissant arraché,   285
Ou qu'un souffle ennemi dans sa fleur a séché !
Mais si ce même enfant, à tes ordres docile,

Doit être à tes desseins un instrument utile,
Fais qu'au juste héritier le sceptre soit remis ;
Livre en mes faibles mains ses puissants ennemis ;   29
Confonds dans ses conseils une reine cruelle :
Daigne, daigne, mon Dieu, sur Mathan et sur elle
Répandre cet esprit d'imprudence et d'erreur,
De la chute des rois funeste avant-coureur !
L'heure me presse : adieu. Des plus saintes fa-   29
  milles
Votre fils et sa sœur vous amènent les filles.

SCÈNE III

JOSABETH, ZACHARIE, SALOMITH, LE CHŒUR.

JOSABETH.

Cher Zacharie, allez ; ne vous arrêtez pas ;
De votre auguste père accompagnez les pas.
  O filles de Lévi, troupe jeune et fidèle,
Que déjà le Seigneur embrase de son zèle,   30
Qui venez si souvent partager mes soupirs,
Enfants, ma seule joie en mes longs déplaisirs,
Ces festons dans vos mains, et ces fleurs sur vos têtes
Autrefois convenaient à nos pompeuses fêtes.
Mais, hélas ! en ce temps d'opprobre et de douleurs,   3
Quelle offrande sied mieux que celle de nos pleurs ?
J'entends déjà, j'entends la trompette sacrée,
Et du temple bientôt on permettra l'entrée.
Tandis que je me vais préparer à marcher,
Chantez, louez le Dieu que vous venez chercher.   3

SCÈNE IV

Le Chœur.

TOUT LE CHŒUR, *chante.*

Tout l'univers est plein de sa magnificence :
Qu'on l'adore, ce Dieu, qu'on l'invoque à jamais !
Son empire a des temps précédé la naissance ;
    Chantons, publions ses bienfaits.

UNE VOIX, *seule.*

  En vain l'injuste violence   315
Au peuple qui le loue imposerait silence :
    Son nom ne périra jamais.
Le jour annonce au jour sa gloire et sa puissance ;
Tout l'univers est plein de sa magnificence :
    Chantons, publions ses bienfaits.   320

TOUT LE CHŒUR, *répète.*

Tout l'univers est plein de sa magnificence :
    Chantons, publions ses bienfaits.

UNE VOIX, *seule.*

Il donne aux fleurs leur aimable peinture ;
  Il fait naître et mûrir les fruits ;
  Il leur dispense avec mesure   325
Et la chaleur des jours et la fraîcheur des nuits ;
Le champ qui les reçut les rend avec usure.

UNE AUTRE.

Il commande au soleil d'animer la nature,
  Et la lumière est un don de ses mains ;
  Mais sa loi sainte, sa loi pure   330
Est le plus riche don qu'il ait fait aux humains.

UNE AUTRE.

O mont de Sinaï, conserve la mémoire
De ce jour à jamais auguste et renommé,
   Quand, sur ton sommet enflammé,
Dans un nuage épais le Seigneur enfermé
Fit luire aux yeux mortels un rayon de sa gloire !
   Dis-nous pourquoi ces feux et ces éclairs,
Ces torrents de fumée et ce bruit dans les airs,
   Ces trompettes et ce tonnerre ?
Venait-il renverser l'ordre des éléments ?   34
   Sur ses antiques fondements
   Venait-il ébranler la terre ?

UNE AUTRE.

Il venait révéler aux enfants des Hébreux
De ses préceptes saints la lumière immortelle ;
   Il venait à ce peuple heureux   34
Ordonner de l'aimer d'une amour éternelle.

TOUT LE CHŒUR.

   O divine, ô charmante loi !
   O justice, ô bonté suprême !
Que de raisons, quelle douceur extrême
D'engager à ce Dieu son amour et sa foi !   35

UNE VOIX, *seule.*

D'un joug cruel il sauva nos aïeux,
Les nourrit au désert d'un pain délicieux ;
Il nous donne ses lois, il se donne lui-même :
   Pour tant de biens, il commande qu'on l'aime.

LE CHŒUR.

   O justice, ô bonté suprême !   3

LA MÊME VOIX.

Des mers pour eux il entr'ouvrit les eaux ;
D'un aride rocher fit sortir des ruisseaux ;
Il nous donne ses lois, il se donne lui-même :
    Pour tant de biens, il commande qu'on l'aime.

LE CHŒUR.

  O divine, ô charmante loi !   360
  Que de raisons, quelle douceur extrême
D'engager à ce Dieu son amour et sa foi !

UNE AUTRE VOIX, *seule*.

Vous qui ne connaissez qu'une crainte servile,
Ingrats, un Dieu si bon ne peut-il vous charmer ?
Est-il donc à vos cœurs, est-il si difficile   365
    Et si pénible de l'aimer ?
L'esclave craint le tyran qui l'outrage ;
Mais des enfants l'amour est le partage.
Vous voulez que ce Dieu vous comble de bienfaits,
    Et ne l'aimer jamais !   370

TOUT LE CHŒUR.

  O divine, ô charmante loi !
  O justice, ô bonté suprême !
  Que de raisons, quelle douceur extrême
D'engager à ce Dieu son amour et sa foi !

ACTE DEUXIÈME

SCÈNE I

JOSABETH, SALOMITH, LE CHŒUR.

JOSABETH.

Mes filles, c'est assez ; suspendez vos cantiques.   375
Il est temps de nous joindre aux prières publiques.
Voici notre heure.   Allons célébrer ce grand jour,
Et devant le Seigneur paraître à notre tour.

SCÈNE II.

JOSABETH, ZACHARIE, SALOMITH, LE CHŒUR.

JOSABETH.

Mais que vois-je ? Mon fils, quel sujet vous ramène ?
Où courez-vous ainsi tout pâle et hors d'haleine ?   38

ZACHARIE.

O ma mère !

JOSABETH.

Hé bien ! quoi ?

ZACHARIE.

Le temple est profané !

JOSABETH.

Comment ?

26

ZACHARIE.

Et du Seigneur l'autel abandonné !

JOSABETH.

Je tremble.   Hâtez-vous d'éclaircir votre mère.

ZACHARIE.

Déjà, selon la loi, le grand-prêtre mon père,
Après avoir au Dieu qui nourrit les humains   385
De la moisson nouvelle offert les premiers pains,
Lui présentait encore entre ses mains sanglantes
Des victimes de paix les entrailles fumantes ;
Debout à ses côtés, le jeune Éliacin
Comme moi le servait en long habit de lin ;   390
Et cependant du sang de la chair immolée
Les prêtres arrosaient l'autel et l'assemblée :
Un bruit confus s'élève, et du peuple surpris
Détourne tout à coup les yeux et les esprits.
Une femme . . . Peut-on la nommer sans blasphème !   395
Une femme . . . C'était Athalie elle-même —

JOSABETH.

Ciel !

ZACHARIE.

Dans un des parvis aux hommes réservé,
Cette femme superbe entre, le front levé,
Et se préparait même à passer les limites
De l'enceinte sacrée ouverte aux seuls lévites :   400
Le peuple s'épouvante et fuit de toutes parts.
Mon père . . . Ah ! quel courroux animait ses regards !
Moïse à Pharaon parut moins formidable :
" Reine, sors, a-t-il dit, de ce lieu redoutable,
D'où te bannit ton sexe et ton impiété.   405

Viens-tu du Dieu vivant braver la majesté?"
La reine alors, sur lui jetant un œil farouche,
Pour blasphémer sans doute ouvrait déjà la bouche.
J'ignore si de Dieu l'ange se dévoilant
Est venu lui montrer un glaive étincelant;   410
Mais sa langue en sa bouche à l'instant s'est glacée,
Et toute son audace a paru terrassée;
Ses yeux, comme effrayés, n'osaient se détourner;
Surtout Éliacin paraissait l'étonner.

JOSABETH.

Quoi donc! Éliacin a paru devant elle?   415

ZACHARIE.

Nous regardions tous deux cette reine cruelle,
Et d'une égale horreur nos cœurs étaient frappés.
Mais les prêtres bientôt nous ont enveloppés:
On nous a fait sortir.   J'ignore tout le reste,
Et venais vous conter ce désordre funeste.   420

JOSABETH.

Ah! de nos bras sans doute elle vient l'arracher;
Et c'est lui qu'à l'autel sa fureur vient chercher.
Peut-être en ce moment l'objet de tant de larmes ...
Souviens-toi de David, Dieu, qui vois mes alarmes!

SALOMITH.

Quel est-il, cet objet des pleurs que vous versez?   425

ZACHARIE.

Les jours d'Éliacin seraient-ils menacés?

SALOMITH.

Aurait-il de la reine attiré la colere?

ZACHARIE.

Que craint-on d'un enfant sans support et sans père?

JOSABETH.

Ah ! la voici.   Sortons.   Il la faut éviter.

SCÈNE III

ATHALIE, ABNER, AGAR, SUITE D'ATHALIE.

AGAR.

Madame, dans ces lieux pourquoi vous arrêter?   430
Ici tous les objets vous blessent, vous irritent.
Abandonnez ce temple aux prêtres qui l'habitent ;
Fuyez tout ce tumulte, et dans votre palais
A vos sens agités venez rendre la paix.

ATHALIE.

Non, je ne puis : tu vois mon trouble et ma faiblesse.   435
Va, fais dire à Mathan qu'il vienne, qu'il se presse ;
Heureuse si je puis trouver par son secours
Cette paix que je cherche, et qui me fuit toujours !

Elle s'assied.

SCÈNE IV

ATHALIE, ABNER, SUITE D'ATHALIE.

ABNER.

Madame, pardonnez si j'ose le défendre :
Le zèle de Joad n'a point dû vous surprendre.   440
Du Dieu que nous servons tel est l'ordre éternel ;
Lui-même il nous traça son temple et son autel,

Aux seuls enfants d'Aaron commit ses sacrifices,
Aux lévites marqua leur place et leurs offices,
Et surtout défendit à leur postérité   445
Avec tout autre dieu toute société.
Hé quoi ! vous, de nos rois et la femme et la mère,
Êtes-vous à ce point parmi nous étrangère ?
Ignorez-vous nos lois ? Et faut-il qu'aujourd'hui . . .
Voici votre Mathan : je vous laisse avec lui.   450

ATHALIE.

Votre présence, Abner, est ici nécessaire.
Laissons là de Joad l'audace téméraire,
Et tout ce vain amas de superstitions
Qui ferment votre temple aux autres nations :
Un sujet plus pressant excite mes alarmes.   455
Je sais que, dès l'enfance élevé dans les armes,
Abner a le cœur noble, et qu'il rend à la fois
Ce qu'il doit à son Dieu, ce qu'il doit à ses rois.
Demeurez.

SCÈNE V

ATHALIE, ABNER, MATHAN, SUITE D'ATHALIE.

MATHAN.

Grande reine, est-ce ici votre place ?
Quel trouble vous agite, et quel effroi vous glace ?   460
Parmi vos ennemis que venez-vous chercher ?
De ce temple profane osez-vous approcher ?
Avez-vous dépouillé cette haine si vive . . .

ATHALIE.

Prêtez-moi l'un et l'autre une oreille attentive.

Je ne veux point ici rappeler le passé,   465
Ni vous rendre raison du sang que j'ai versé :
Ce que j'ai fait, Abner, j'ai cru le devoir faire.
Je ne prends point pour juge un peuple téméraire :
Quoi que son insolence ait osé publier,
Le ciel même a pris soin de me justifier.   470
Sur d'éclatants succès ma puissance établie
A fait jusqu'aux deux mers respecter Athalie ;
Par moi Jérusalem goûte un calme profond ;
Le Jourdain ne voit plus l'Arabe vagabond,
Ni l'altier Philistin, par d'éternels ravages,   475
Comme au temps de vos rois, désoler ses rivages ;
Le Syrien me traite et de reine et de sœur ;
Enfin de ma maison le perfide oppresseur,
Qui devait jusqu'à moi pousser sa barbarie,
Jéhu, le fier Jéhu, tremble dans Samarie ;   480
De toutes parts pressé par un puissant voisin,
Que j'ai su soulever contre cet assassin,
Il me laisse en ces lieux souveraine maîtresse.
Je jouissais en paix du fruit de ma sagesse.
Mais un trouble importun vient, depuis quelques jours,   485
De mes prospérités interrompre le cours.
Un songe (me devrais-je inquiéter d'un songe ?)
Entretient dans mon cœur un chagrin qui le ronge ;
Je l'évite partout, partout il me poursuit.

    C'était pendant l'horreur d'une profonde nuit ;   490
Ma mère Jésabel devant moi s'est montrée,
Comme au jour de sa mort pompeusement parée ;
Ses malheurs n'avaient point abattu sa fierté ;
Même elle avait encor cet éclat emprunté
Dont elle eut soin de peindre et d'orner son visage,   495
Pour réparer des ans l'irréparable outrage :

« Tremble, m'a-t-elle dit, fille digne de moi ;
Le cruel Dieu des Juifs l'emporte aussi sur toi.
Je te plains de tomber dans ses mains redoutables,
Ma fille ! » En achevant ces mots épouvantables,   500
Son ombre vers mon lit a paru se baisser ;
Et moi, je lui tendais les mains pour l'embrasser ;
Mais je n'ai plus trouvé qu'un horrible mélange
D'os et de chair meurtris, et, traînés dans la fange,
Des lambeaux pleins de sang, et des membres affreux   505
Que des chiens dévorants se disputaient entre eux.

ABNER.

Grand Dieu !

ATHALIE.

        Dans ce désordre à mes yeux se présente
Un jeune enfant couvert d'une robe éclatante,
Tel qu'on voit des Hébreux les prêtres revêtus.
Sa vue a ranimé mes esprits abattus ;   510
Mais lorsque, revenant de mon trouble funeste,
J'admirais sa douceur, son air, noble et modeste,
J'ai senti tout à coup un homicide acier
Que le traître en mon sein a plongé tout entier.
De tant d'objets divers le bizarre assemblage   515
Peut-être du hasard vous paraît un ouvrage :
Moi-même quelque temps, honteuse de ma peur,
Je l'ai pris pour l'effet d'une sombre vapeur.
Mais de ce souvenir mon âme possédée
A deux fois en dormant revu la même idée ;   520
Deux fois mes tristes yeux se sont vu retracer
Ce même enfant toujours tout prêt à me percer.
Lasse enfin des horreurs dont j'étais poursuivie,
J'allais prier Baal de veiller sur ma vie,

Et chercher du repos au pied de ses autels :   525
Que ne peut la frayeur sur l'esprit des mortels !
Dans le temple des Juifs un instinct m'a poussée,
Et d'apaiser leur Dieu j'ai conçu la pensée ;
J'ai cru que des présents calmeraient son courroux,
Que ce Dieu, quel qu'il soit, en deviendrait plus   530
   doux.
Pontife de Baal, excusez ma faiblesse.
J'entre ; le peuple fuit, le sacrifice cesse ;
Le grand-prêtre vers moi s'avance avec fureur :
Pendant qu'il me parlait, ô surprise ! ô terreur !
J'ai vu ce même enfant dont je suis menacée,   535
Tel qu'un songe effrayant l'a peint à ma pensée.
Je l'ai vu : son même air, son même habit de lin,
Sa démarche, ses yeux, et tous ses traits enfin ;
C'est lui-même.   Il marchait à côté du grand-prêtre ;
Mais bientôt à ma vue on l'a fait disparaître.   540
Voilà quel trouble ici m'oblige à m'arrêter,
Et sur quoi j'ai voulu tous deux vous consulter.
Que présage, Mathan, ce prodige incroyable ?

MATHAN.

Ce songe et ce rapport, tout me semble effroyable.

ATHALIE.

Mais cet enfant fatal, Abner, vous l'avez vu :   545
Quel est-il ? de quel sang, et de quelle tribu ?

ABNER.

Deux enfants à l'autel prêtaient leur ministère :
L'un est fils de Joad, Josabeth est sa mère ;
L'autre m'est inconnu.

MATHAN.

Pourquoi délibérer ?
De tous les deux, madame, il se faut assurer.   550
Vous savez pour Joad mes égards, mes mesures ;
Que je ne cherche point à venger mes injures ;
Que la seule équité règne en tous mes avis ;
Mais lui-même, après tout, fût-ce son propre fils,
Voudrait-il un moment laisser vivre un coupable ?   555

ABNER.

De quel crime un enfant peut-il être capable ?

MATHAN.

Le ciel nous le fait voir un poignard à la main :
Le ciel est juste et sage, et ne fait rien en vain.
Que cherchez-vous de plus ?

ABNER.

                         Mais, sur la foi d'un songe,
Dans le sang d'un enfant voulez-vous qu'on se plonge ?   560
Vous ne savez encor de quel père il est né,
Quel il est.

MATHAN.

              On le craint : tout est examiné.
A d'illustres parents s'il doit son origine,
La splendeur de son sort doit hâter sa ruine ;
Dans le vulgaire obscur si le sort l'a placé,   565
Qu'importe qu'au hasard un sang vil soit versé ?
Est-ce aux rois à garder cette lente justice ?
Leur sûreté souvent dépend d'un prompt supplice.
N'allons point les gêner d'un soin embarrassant :
Dès qu'on leur est suspect, on n'est plus innocent.   570

ABNER.

Hé quoi, Mathan ! d'un prêtre est-ce là le langage ?
Moi, nourri dans la guerre, aux horreurs du carnage,
Des vengeances des rois ministre rigoureux,
C'est moi qui prête ici ma voix au malheureux !
Et vous, qui lui devez des entrailles de père,   575
Vous, ministre de paix dans les temps de colère,
Couvrant d'un zèle faux votre ressentiment,
Le sang à votre gré coule trop lentement !
Vous m'avez commandé de vous parler sans feinte,
Madame : quel est donc ce grand sujet de crainte ?   580
Un songe, un faible enfant que votre œil prévenu
Peut-être sans raison croit avoir reconnu.

ATHALIE.

Je le veux croire, Abner ; je puis m'être trompée :
Peut-être un songe vain m'a trop préoccupée.
Hé bien ! il faut revoir cet enfant de plus près ;   585
Il en faut à loisir examiner les traits.
Qu'on les fasse tous deux paraître en ma présence.

ABNER.

Je crains . . .

ATHALIE.

                Manquerait-on pour moi de complaisance ?
De ce refus bizarre où seraient les raisons ?
Il pourrait me jeter en d'étranges soupçons.   590
Que Josabeth, vous dis-je, ou Joad les amène.
Je puis, quand je voudrai, parler en souveraine.
Vos prêtres, je veux bien, Abner, vous l'avouer,
Des bontés d'Athalie ont lieu de se louer.
Je sais sur ma conduite et contre ma puissance   595

Jusqu'où de leurs discours ils portent la licence :
Ils vivent cependant, et leur temple est debout.
Mais je sens que bientôt ma douceur est à bout.
Que Joad mette un frein à son zèle sauvage,
Et ne m'irrite point par un second outrage.   600
Allez.

SCÈNE VI

ATHALIE, MATHAN, SUITE D'ATHALIE.

MATHAN.

    Enfin je puis parler en liberté ;
Je puis dans tout son jour mettre la vérité.
Quelque monstre naissant dans ce temple s'élève,
Reine : n'attendez pas que le nuage crève.
Abner chez le grand-prêtre a devancé le jour :   605
Pour le sang de ses rois vous savez son amour.
Et qui sait si Joad ne veut point en leur place
Substituer l'enfant dont le ciel vous menace,
Soit son fils, soit quelque autre . . .

ATHALIE.

                  Oui, vous m'ouvrez les yeux :
Je commence à voir clair dans cet avis des cieux.   610
Mais je veux de mon doute être débarrassée :
Un enfant est peu propre à trahir sa pensée ;
Souvent d'un grand dessein un mot nous fait juger.
Laissez-moi, cher Mathan, le voir, l'interroger.
Vous, cependant, allez ; et, sans jeter d'alarmes,   615
A tous mes Tyriens faites prendre les armes.

SCÈNE VII

JOAS, ATHALIE, JOSABETH, ZACHARIE, SALOMITH, ABNER,
DEUX LÉVITES, LE CHŒUR, SUITE D'ATHALIE.

JOSABETH, *aux deux lévites.*

O vous ! sur ces enfants si chers, si précieux,
Ministres du Seigneur, ayez toujours les yeux.

ABNER, *à Josabeth.*

Princesse, assurez-vous, je les prends sous ma garde.

ATHALIE.

O ciel ! plus j'examine, et plus je le regarde . . .   620
C'est lui ! D'horreur encor tous mes sens sont saisis.

Montrant Joas.

Épouse de Joad, est-ce là votre fils ?

JOSABETH.

Qui ? lui, madame ?

ATHALIE.

Lui.

JOSABETH.

Je ne suis point sa mère.

Montrant Zacharie.

Voilà mon fils.

ATHALIE, *à Joas.*

Et vous, quel est donc votre père ?
Jeune enfant, répondez.   625

JOSABETH.

Le ciel jusqu'aujourd'hui ...

ATHALIE.

Pourquoi vous pressez-vous de répondre pour lui?
C'est à lui de parler.

JOSABETH.

Dans un âge si tendre
Quel éclaircissement en pouvez-vous attendre?

ATHALIE.

Cet âge est innocent : son ingénuité
N'altère point encor la simple vérité.   630
Laissez-le s'expliquer sur tout ce qui le touche.

JOSABETH, *tout bas.*

Daigne mettre, grand Dieu, ta sagesse en sa bouche!

ATHALIE.

Comment vous nommez-vous?

JOAS.

J'ai nom Éliacin.

ATHALIE.

Votre père.

JOAS.

Je suis, dit-on, un orphelin
Entre les bras de Dieu jeté dès ma naissance,   63
Et qui de mes parents n'eus jamais connaissance.

ATHALIE.

Vous êtes sans parents?

JOAS.

Ils m'ont abandonné.

ATHALIE.

Comment? et depuis quand?

JOAS.

Depuis que je suis né.

ATHALIE.

Ne sait-on pas au moins quel pays est le vôtre?

JOAS.

Ce temple est mon pays; je n'en connais point d'autre. 640

ATHALIE.

Où dit-on que le sort vous a fait rencontrer?

JOAS.

Parmi des loups cruels prêts à me dévorer.

ATHALIE.

Qui vous mit dans ce temple?

JOAS.

Une femme inconnue,
Qui ne dit point son nom, et qu'on n'a point revue.

ATHALIE.

Mais de vos premiers ans quelles mains ont pris soin?   645

JOAS.

Dieu laissa-t-il jamais ses enfants au besoin?
Aux petits des oiseaux il donne leur pâture,
Et sa bonté s'étend sur toute la nature.
Tous les jours je l'invoque; et d'un soin paternel
Il me nourrit des dons offerts sur son autel.

650

ATHALIE.

Quel prodige nouveau me trouble et m'embarrasse?

La douceur de sa voix, son enfance, sa grâce
Font insensiblement à mon inimitié
Succéder . . . Je serais sensible à la pitié !

ABNER.

Madame, voilà donc cet ennemi terrible !   655
De vos songes menteurs l'imposture est visible ;
A moins que la pitié qui semble vous troubler
Ne soit ce coup fatal qui vous faisait trembler.

ATHALIE, *à Joas et à Josabeth.*

Vous sortez ?

JOSABETH.

Vous avez entendu sa fortune :
Sa présence à la fin pourrait être importune.   660

ATHALIE, *à Joas.*

Non : revenez.   Quel est tous les jours votre emploi ?

JOAS.

J'adore le Seigneur ; on m'explique sa loi ;
Dans son livre divin on m'apprend à la lire,
Et déjà de ma main je commence à l'écrire.

ATHALIE.

Que vous dit cette loi ?   66

JOAS.

Que Dieu veut être aimé ;
Qu'il venge tôt ou tard son saint nom blasphémé ;
Qu'il est le défenseur de l'orphelin timide ;
Qu'il résiste au superbe, et punit l'homicide.

ATHALIE.

J'entends.   Mais tout ce peuple enfermé dans ce lieu,
A quoi s'occupe-t-il ?

JOAS.

Il loue, il bénit Dieu.

ATHALIE.

Dieu veut-il qu'à toute heure on prie, on le contemple ?

JOAS.

Tout profane exercice est banni de son temple.

ATHALIE.

Quels sont donc vos plaisirs ?

JOAS.

Quelquefois à l'autel
Je présente au grand-prêtre ou l'encens ou le sel ;
J'entends chanter de Dieu les grandeurs infinies ;　　675
Je vois l'ordre pompeux de ses cérémonies.

ATHALIE.

Hé quoi ! vous n'avez point de passe-temps plus doux ?
Je plains le triste sort d'un enfant tel que vous.
Venez dans mon palais, vous y verrez ma gloire.

JOAS.

Moi ! des bienfaits de Dieu je perdrais la mémoire !　　680

ATHALIE.

Non, je ne vous veux pas contraindre à l'oublier.

JOAS.

Vous ne le priez point.

ATHALIE.

Vous pourrez le prier.

JOAS.

Je verrais cependant en invoquer un autre.

ATHALIE.

J'ai mon dieu que je sers ; vous servirez le vôtre :
Ce sont deux puissants dieux.   685

JOAS.

                                 Il faut craindre le mien ;
Lui seul est Dieu, madame, et le vôtre n'est rien.

ATHALIE.

Les plaisirs près de moi vous chercheront en foule.

JOAS.

Le bonheur des méchants comme un torrent s'écoule.

ATHALIE.

Ces méchants, qui sont-ils ?

JOSABETH.

                                 Hé, madame ! excusez
Un enfant . . .   690

ATHALIE, *à Josabeth.*

                                 J'aime à voir comme vous l'instruisez.
Enfin, Éliacin, vous avez su me plaire ;
Vous n'êtes point sans doute un enfant ordinaire.
Vous voyez, je suis reine, et n'ai point d'héritier :
Laissez là cet habit, quittez ce vil métier :
Je veux vous faire part de toutes mes richesses ;   695
Essayez dès ce jour l'effet de mes promesses.
A ma table, partout, à mes côtés assis,
Je prétends vous traiter comme mon propre fils.

JOAS.

Comme votre fils !

ATHALIE.

                                 Oui . . . Vous vous taisez ?

JOAS.

Quel père

Je quitterais ! Et pour . . .   700

ATHALIE.

Hé bien.

JOAS.

Pour quelle mère !

ATHALIE, *à Josabeth.*

Sa mémoire est fidèle ; et, dans tout ce qu'il dit,
De vous et de Joad je reconnais l'esprit.
Voilà comme, infectant cette simple jeunesse,
Vous employez tous deux le calme où je vous laisse.
Vous cultivez déjà leur haine et leur fureur ;   705
Vous ne leur prononcez mon nom qu'avec horreur.

JOSABETH.

Peut-on de nos malheurs leur dérober l'histoire ?
Tout l'univers les sait ; vous-même en faites gloire.

ATHALIE.

Oui, ma juste fureur, et j'en fais vanité,
A vengé mes parents sur ma postérité.   710
J'aurais vu massacrer et mon père et mon frère,
Du haut de son palais précipiter ma mère,
Et dans un même jour égorger à la fois
(Quel spectacle d'horreur !) quatre-vingts fils de rois ;
Et pourquoi ? pour venger je ne sais quels prophètes, 715
Dont elle avait puni les fureurs indiscrètes :
Et moi, reine sans cœur, fille sans amitié,
Esclave d'une lâche et frivole pitié,
Je n'aurais pas du moins à cette aveugle rage
Rendu meurtre pour meurtre, outrage pour outrage, 720

Et de votre David traité tous les neveux
Comme on traitait d'Achab les restes malheureux !
Où serais-je aujourd'hui si, domptant ma faiblesse,
Je n'eusse d'une mère étouffé la tendresse ;
Si de mon propre sang ma main versant des flots   725
N'eût par ce coup hardi réprimé vos complots?
Enfin de votre Dieu l'implacable vengeance
Entre nos deux maisons rompit toute alliance :
David m'est en horreur ; et les fils de ce roi,
Quoique nés de mon sang, sont étrangers pour moi.   730

JOSABETH.

Tout vous a réussi.   Que Dieu voie, et nous juge.

ATHALIE.

Ce Dieu, depuis longtemps votre unique refuge,
Que deviendra l'effet de ses prédictions?
Qu'il vous donne ce roi promis aux nations,
Cet enfant de David, votre espoir, votre attente . . .   735
Mais nous nous reverrons.   Adieu.   Je sors contente :
J'ai voulu voir ; j'ai vu.

ABNER, à Josabeth.

Je vous l'avais promis :
Je vous rends le dépôt que vous m'avez commis.

SCÈNE VIII

JOAD, JOSABETH, ZACHARIE, SALOMITH, ABNER, LÉVITES,
LE CHŒUR.

JOSABETH, <i>à Joad.</i>

Avez-vous entendu cette superbe reine,
Seigneur?   740

JOAD.

J'entendais tout, et plaignais votre peine.
Ces lévites et moi, prêts à vous secourir,
Nous étions avec vous résolus de périr.

A Joas, en l'embrassant.

Que Dieu veille sur vous, enfant dont le courage
Vient de rendre à son nom ce noble témoignage.
Je reconnais, Abner, ce service important : 745
Souvenez-vous de l'heure où Joad vous attend.
Et nous, dont cette femme impie et meurtrière
A souillé les regards et troublé la prière,
Rentrons ; et qu'un sang pur, par mes mains épanché,
Lave jusques au marbre où ses pas ont touché. 750

SCÈNE IX.

LE CHŒUR.

UNE DES FILLES DU CHŒUR.

Quel astre à nos yeux vient de luire ?
Quel sera quelque jour cet enfant merveilleux ?
Il brave le faste orgueilleux,
Et ne se laisse point séduire
A tous ses attraits périlleux. 755

UNE AUTRE.

Pendant que du dieu d'Athalie
Chacun court encenser l'autel,
Un enfant courageux publie
Que Dieu lui seul est éternel,
Et parle comme un autre Élie 760
Devant cette autre Jézabel.

UNE AUTRE.

Qui nous révélera ta naissance secrète,
Cher enfant ?   Es-tu fils de quelque saint prophète ?

UNE AUTRE.

Ainsi l'on vit l'aimable Samuel
  Croître à l'ombre du tabernacle :   765
Il devint des Hébreux l'espérance et l'oracle.
Puisses-tu, comme lui, consoler Israël !

UNE AUTRE.

  O bienheureux mille fois
  L'enfant que le Seigneur aime,
Qui de bonne heure entend sa voix,   770
  Et que ce Dieu daigne instruire lui-même !
Loin du monde élevé, de tous les dons des cieux
  Il est orné dès son enfance ;
Et du méchant l'abord contagieux
  N'altère point son innocence.   775

TOUT LE CHŒUR.

Heureuse, heureuse l'enfance
Que le Seigneur instruit et prend sous sa défense !

LA MÊME VOIX, *seul.*

  Tel en un secret vallon,
    Sur le bord d'une onde pure,
  Croît, à l'abri de l'aquilon,   780
Un jeune lis, l'amour de la nature.
Loin du monde élevé, de tous les dons des cieux
  Il est orné dès sa naissance ;
Et du méchant l'abord contagieux
  N'altère point son innocence.   785

TOUT LE CHŒUR.

Heureux, heureux mille fois
L'enfant que le Seigneur rend docile à ses lois !

UNE VOIX, *seule*.

Mon Dieu, qu'une vertu naissante
Parmi tant de périls marche à pas incertains !
Qu'une âme qui te cherche et veut être innocente   790
    Trouve d'obstacle à ses desseins !
    Que d'ennemis lui font la guerre !
    Où se peuvent cacher tes saints ?
    Les pécheurs couvrent la terre.

UNE AUTRE.

O palais de David, et sa chère cité,   795
Mont fameux, que Dieu même a longtemps habité,
Comment as-tu du ciel attiré la colère ?
Sion, chère Sion, que dis-tu quand tu vois
    Une impie étrangère
Assise, hélas ! au trône de tes rois ?   800

TOUT LE CHŒUR.

Sion, chère Sion, que dis-tu quand tu vois
    Une impie étrangère
Assise, hélas ! au trône de tes rois ?

LA MÊME VOIX, *continue*.

Au lieu des cantiques charmants
Où David t'exprimait ses saints ravissements,   805
Et bénissait son Dieu, son Seigneur et son Père ;
Sion, chère Sion, que dis-tu quand tu vois
    Louer le dieu de l'impie étrangère,
Et blasphémer le nom qu'ont adoré tes rois ?

UNE VOIX, *seule*.

Combien de temps, Seigneur, combien de temps encore 810
Verrons-nous contre toi les méchants s'élever ?
Jusque dans ton saint temple ils viennent te braver :
Ils traitent d'insensé le peuple qui t'adore.
Combien de temps, Seigneur, combien de temps encore
Verrons-nous contre toi les méchants s'élever ?   815

UNE AUTRE.

Que vous sert, disent-ils, cette vertu sauvage ?
  De tant de plaisirs si doux
  Pourquoi fuyez-vous l'usage ?
Votre Dieu ne fait rien pour vous.

UNE AUTRE.

  Rions, chantons, dit cette troupe impie ;   820
  De fleurs en fleurs, de plaisirs en plaisirs,
    Promenons nos désirs.
  Sur l'avenir, insensé qui se fie.
De nos ans passagers le nombre est incertain :
Hâtons-nous aujourd'hui de jouir de la vie ;   825
    Qui sait si nous serons demain ?

TOUT LE CHŒUR.

Qu'ils pleurent, ô mon Dieu ! qu'ils frémissent de crainte,
  Ces malheureux, qui de ta cité sainte
  Ne verront point l'éternelle splendeur.
C'est à nous de chanter, nous à qui tu révèles   830
    Tes clartés immortelles ;
C'est à nous de chanter tes dons et ta grandeur.

UNE VOIX, *seule*.

De tous ces vains plaisirs où leur âme se plonge,
Que leur restera-t-il ?　Ce qui reste d'un songe

Dont on a reconnu l'erreur.   835
   A leur réveil (ô réveil plein d'horreur !)
   Pendant que le pauvre à ta table
Goûtera de ta paix la douceur ineffable,
Ils boiront dans la coupe affreuse, inépuisable,
Que tu présenteras au jour de ta fureur   840
   A toute la race coupable.

TOUT LE CHŒUR.

O réveil plein d'horreur !
O songe peu durable !
O dangereuse erreur !

ACTE TROISIÈME

SCÈNE I

MATHAN, NABAL, LE CHŒUR.

MATHAN.

Jeunes filles, allez : qu'on dise à Josabeth   845
Que Mathan veut ici lui parler en secret.

UNE DES FILLES DU CHŒUR.

Mathan ! O Dieu du ciel, puisses-tu le confondre !

NABAL.

Hé quoi ! tout se disperse, et fuit sans vous répondre.

MATHAN

Approchons.

SCÈNE II

ZACHARIE, MATHAN, NABAL.

ZACHARIE.

Téméraire, où voulez-vous passer ?
Au delà de ce lieu gardez-vous d'avancer :   850
C'est des ministres saints la demeure sacrée ;
Les lois à tout profane en défendent l'entrée.
Qui cherchez-vous ? Mon père, en ce jour solennel,
De l'idolâtre impur fuit l'aspect criminel ;
Et devant le Seigneur maintenant prosternée,   855
Ma mère en ce devoir craint d'être détournée.

MATHAN.

Mon fils, nous attendrons; cessez de vous troubler.
C'est votre illustre mère à qui je veux parler :
Je viens ici chargé d'un ordre de la reine.

SCÈNE III

MATHAN, NABAL.

NABAL.

Leurs enfants ont déjà leur audace hautaine.   860
Mais que veut Athalie en cette occasion ?
D'où naît dans ses conseils cette confusion ?
Par l'insolent Joad ce matin offensée,
Et d'un enfant fatal en songe menacée,
Elle allait immoler Joad à son courroux,   865
Et dans ce temple enfin placer Baal et vous.
Vous m'en aviez déjà confié votre joie,
Et j'espérais ma part d'une si riche proie.
Qui fait changer ainsi ses vœux irrésolus ?

MATHAN.

Ami, depuis deux jours je ne la connais plus.   870
Ce n'est plus cette reine éclairée, intrépide,
Élevée au-dessus de son sexe timide,
Qui d'abord accablait ses ennemis surpris,
Et d'un instant perdu connaissait tout le prix.
La peur d'un vain remords trouble cette grande âme ;   875
Elle flotte, elle hésite ; en un mot, elle est femme.
J'avais tantôt rempli d'amertume et de fiel
Son cœur déjà saisi des menaces du ciel :
Elle-même, à mes soins confiant sa vengeance,

M'avait dit d'assembler sa garde en diligence,   880
Mais, soit que cet enfant devant elle amené,
De ses parents, dit-on, rebut infortuné,
Eût d'un songe effrayant diminué l'alarme,
Soit qu'elle eût même en lui vu je ne sais quel charme,
J'ai trouvé son courroux chancelant, incertain,   885
Et déjà remettant sa vengeance à demain.
Tous ses projets semblaient l'un l'autre se détruire :
« Du sort de cet enfant je me suis fait instruire,
Ai-je dit : on commence à vanter ses aïeux ;
Joad de temps en temps le montre aux factieux,   890
Le fait attendre aux Juifs comme un autre Moïse,
Et d'oracles menteurs s'appuie et s'autorise.»
Ces mots ont fait monter la rougeur sur son front ;
Jamais mensonge heureux n'eut un effet si prompt.
« Est-ce à moi de languir dans cette incertitude ?   895
Sortons, a-t-elle dit, sortons d'inquiétude.
Vous-même à Josabeth prononcez cet arrêt :
Les feux vont s'allumer, et le fer est tout prêt ;
Rien ne peut de leur temple empêcher le ravage,
Si je n'ai de leur foi cet enfant pour ôtage.»   900

NABAL.

Eh bien, pour un enfant qu'ils ne connaissent pas,
Que le hasard peut-être a jeté dans leurs bras,
Voudront-ils que leur temple enseveli sous l'herbe . . .

MATHAN.

Ah ! de tous les mortels connais le plus superbe.
Plutôt que dans mes mains par Joad soit livré   905
Un enfant qu'à son Dieu Joad a consacré,
Tu lui verras subir la mort la plus terrible.
D'ailleurs pour cet enfant leur attache est visible.

Si j'ai bien de la reine entendu le récit,
Joad sur sa naissance en sait plus qu'il ne dit.   910
Quel qu'il soit, je prévois qu'il leur sera funeste.
Ils le refuseront : je prends sur moi le reste ;
Et j'espère qu'enfin de ce temple odieux
Et la flamme et le fer vont délivrer mes yeux.

NABAL.

Qui peut vous inspirer une haine si forte ?   915
Est-ce que de Baal le zèle vous transporte ?
Pour moi, vous le savez, descendu d'Ismaël,
Je ne sers ni Baal, ni le Dieu d'Israël.

MATHAN.

Ami, peux-tu penser que d'un zèle frivole
Je me laisse aveugler pour une vaine idole,   920
Pour un fragile bois, que malgré mon secours
Les vers sur son autel consument tous les jours ?
Né ministre du Dieu qu'en ce temple on adore,
Peut-être que Mathan le servirait encore,
Si l'amour des grandeurs, la soif de commander,   925
Avec son joug étroit pouvaient s'accommoder.
    Qu'est-il besoin, Nabal, qu'à tes yeux je rappelle
De Joad et de moi la fameuse querelle,
Quand j'osai contre lui disputer l'encensoir,
Mes brigues, mes combats, mes pleurs, mon désespoir ?   930
Vaincu par lui, j'entrai dans une autre carrière,
Et mon âme à la cour s'attacha tout entière.
J'approchai par degrés de l'oreille des rois,
Et bientôt en oracle on érigea ma voix.
J'étudiai leur cœur, je flattai leurs caprices,   935
Je leur semai de fleurs le bord des précipices ;
Près de leurs passions rien ne me fut sacré.

De mesure et de poids je changeais à leur gré.
Autant que de Joad l'inflexible rudesse
De leur superbe oreille offensait la mollesse,   940
Autant je les charmais par ma dextérité :
Dérobant à leurs yeux la triste vérité,
Prêtant à leurs fureurs des couleurs favorables,
Et prodigue surtout du sang des misérables.

Enfin, au dieu nouveau qu'elle avait introduit,   945
Par les mains d'Athalie un temple fut construit.
Jérusalem pleura de se voir profanée ;
Des enfants de Lévi la troupe consternée
En poussa vers le ciel des hurlements affreux.
Moi seul, donnant l'exemple aux timides Hébreux,   950
Déserteur de leur loi, j'approuvai l'entreprise,
Et par là de Baal méritai la prêtrise ;
Par là je me rendis terrible à mon rival,
Je ceignis la tiare, et marchai son égal.
Toutefois, je l'avoue, en ce comble de gloire,   955
Du Dieu que j'ai quitté l'importune mémoire
Jette encore en mon âme un reste de terreur ;
Et c'est ce qui redouble et nourrit ma fureur.
Heureux si, sur son temple achevant ma vengeance,
Je puis convaincre enfin sa haine d'impuissance,   960
Et parmi le débris, le ravage et les morts,
A force d'attentats perdre tous mes remords . . .
Mais voici Josabeth.

SCÈNE IV

JOSABETH, MATHAN, NABAL.

MATHAN.

               Envoyé par la reine,
Pour rétablir le calme et dissiper la haine,
Princesse, en qui le ciel mit un esprit si doux,   965
Ne vous étonnez pas si je m'adresse à vous.
Un bruit, que j'ai pourtant soupçonné de mensonge,
Appuyant les avis qu'elle a reçus en songe,
Sur Joad, accusé de dangereux complots,
Allait de sa colère attirer tous les flots.   970
Je ne veux point ici vous vanter mes services :
De Joad contre moi je sais les injustices ;
Mais il faut à l'offense opposer les bienfaits.
Enfin, je viens chargé de paroles de paix.
Vivez, solennisez vos fêtes sans ombrage.   975
De votre obéissance elle ne veut qu'un gage ;
C'est, pour l'en détourner j'ai fait ce que j'ai pu,
Cet enfant sans parents, qu'elle dit qu'elle a vu.

JOSABETH.

Éliacin ?

MATHAN.

        J'en ai pour elle quelque honte :
D'un vain songe peut-être elle fait trop de compte.   980
Mais vous vous déclarez ses mortels ennemis,
Si cet enfant sur l'heure en mes mains n'est remis.
La reine, impatiente, attend votre réponse.

JOSABETH.

Et voilà de sa part la paix qu'on nous annonce !

MATHAN.

Pourriez-vous un moment douter de l'accepter ?   985
D'un peu de complaisance est-ce trop l'acheter ?

JOSABETH.

J'admirais si Mathan, dépouillant l'artifice,
Avait pu de son cœur surmonter l'injustice,
Et si de tant de maux le funeste inventeur
De quelque ombre de bien pouvait être l'auteur.   990

MATHAN.

De quoi vous plaignez-vous ?   Vient-on avec furie
Arracher de vos bras votre fils Zacharie ?
Quel est cet autre enfant si cher à votre amour ?
Ce grand attachement me surprend à mon tour.
Est-ce un trésor pour vous si précieux, si rare ?   995
Est-ce un libérateur que le ciel vous prépare ?
Songez-y : vos refus pourraient me confirmer
Un bruit sourd que déjà l'on commence à semer.

JOSABETH.

Quel bruit ?

MATHAN.

            Que cet enfant vient d'illustre origine ;
Qu'à quelque grand projet votre époux le destine.   1000

JOSABETH.

Et Mathan, par ce bruit qui flatte sa fureur. . . .

MATHAN.

Princesse, c'est à vous à me tirer d'erreur.
Je sais que, du mensonge implacable ennemie,
Josabeth livrerait même sa propre vie,
S'il fallait que sa vie à sa sincérité   1005

Coûtât le moindre mot contre la vérité.
Du sort de cet enfant on n'a donc nulle trace?
Une profonde nuit enveloppe sa race?
Et vous-même ignorez de quels parents issu,
De quelles mains Joad en ses bras l'a reçu?
Parlez; je vous écoute, et suis prêt à vous croire: 1010
Au Dieu que vous servez, princesse, rendez gloire.

JOSABETH.

Méchant, c'est bien à vous d'oser ainsi nommer
Un Dieu que votre bouche enseigne à blasphémer!
Sa vérité par vous peut-elle être attestée, 1015
Vous, malheureux, assis dans la chaire empestée
Où le mensonge règne et répand son poison;
Vous, nourri dans la fourbe et dans la trahison?

SCÈNE V

JOAD, JOSABETH, MATHAN, NABAL.

JOAD.

Où suis-je? De Baal ne vois-je pas le prêtre?
Quoi! fille de David, vous parlez à ce traître! 1020
Vous souffrez qu'il vous parle! Et vous ne craignez pas
Que du fond de l'abîme entr'ouvert sous ses pas
Il ne sorte à l'instant des feux qui vous embrasent,
Ou qu'en tombant sur lui ces murs ne vous écrasent!
Que veut-il? De quel front cet ennemi de Dieu 1025
Vient-il infecter l'air qu'on respire en ce lieu?

MATHAN.

On reconnaît Joad à cette violence.
Toutefois il devrait montrer plus de prudence,

Respecter une reine, et ne pas outrager
Celui que de son ordre elle a daigné charger.   1030

JOAD.

Hé bien ! que nous fait-elle annoncer de sinistre ?
Quel sera l'ordre affreux qu'apporte un tel ministre ?

MATHAN.

J'ai fait à Josabeth savoir sa volonté.

JOAD.

Sors donc de devant moi, monstre d'impiété !
De toutes tes horreurs, va, comble la mesure.   1035
Dieu s'apprête à te joindre à la race parjure,
Abiron et Dathan, Doëg, Achitophel :
Les chiens, à qui son bras a livré Jézabel,
Attendant que sur toi sa fureur se déploie,
Déjà sont à ta porte, et demandent leur proie.   1040

MATHAN, *il se trouble.*

Avant la fin du jour... on verra qui de nous...
Doit... Mais sortons, Nabal.

NABAL.

                    Où vous égarez-vous ?
De vos sens étonnés quel désordre s'empare ?
Voilà votre chemin.

SCÈNE VI

JOAD, JOSABETH.

JOSABETH.

                    L'orage se déclare :
Athalie en fureur demande Éliacin.   1045
Déjà de sa naissance et de votre dessein

On commence, seigneur, à percer le mystère :
Peu s'en faut que Mathan ne m'ait nommé son père.

JOAD.

Au perfide Mathan qui l'aurait révélé ?
Votre trouble à Mathan n'a-t-il point trop parlé ?　　1050

JOSABETH.

J'ai fait ce que j'ai pu pour m'en rendre maîtresse ;
Cependant, croyez-moi, seigneur, le péril presse.
Réservons cet enfant pour un temps plus heureux ;
Tandis que les méchants délibèrent entre eux,
Avant qu'on l'environne, avant qu'on nous l'arrache,　　1055
Une seconde fois souffrez que je le cache.
Les portes, les chemins lui sont encore ouverts.
Faut-il le transporter aux plus affreux déserts ?
Je suis prête : je sais une secrète issue
Par où, sans qu'on le voie, et sans être aperçue,　　1060
De Cédron avec lui traversant le torrent,
J'irai dans le désert où jadis en pleurant,
Et cherchant comme nous son salut dans la fuite,
David d'un fils rebelle évita la poursuite.
Je craindrai moins pour lui les lions et les ours . . .　　1065
Mais pourquoi de Jéhu refuser le secours ?
Je vous ouvre peut-être un avis salutaire.
Faisons de ce trésor Jéhu dépositaire :
On peut dans ses États le conduire aujourd'hui,
Et le chemin est court qui mène jusqu'à lui.　　1070
Jéhu n'a point un cœur farouche, inexorable ;
De David à ses yeux le nom est favorable.
Hélas ! est-il un roi si dur et si cruel,
A moins qu'il n'eût pour mère une autre Jézabel,

Qui d'un tel suppliant ne plaignît l'infortune ?   1075
Sa cause à tous les rois n'est-elle pas commune ?

JOAD.

Quels timides conseils m'osez-vous suggérer ?
En l'appui de Jéhu pourriez-vous espérer ?

JOSABETH.

Dieu défend-il tout soin et toute prévoyance ?
Ne l'offense-t-on point par trop de confiance ?   1080
A ses desseins sacrés employant les humains,
N'a-t-il pas de Jéhu lui-même armé les mains ?

JOAD.

Jéhu, qu'avait choisi sa sagesse profonde,
Jéhu, sur qui je vois que votre espoir se fonde,
D'un oubli trop ingrat a payé ses bienfaits :   1085
Jéhu laisse d'Achab l'affreuse fille en paix,
Suit des rois d'Israël les profanes exemples,
Du vil dieu de l'Égypte a conservé les temples ;
Jéhu, sur les hauts lieux enfin osant offrir
Un téméraire encens que Dieu ne peut souffrir,   1090
N'a pour servir sa cause et venger ses injures
Ni le cœur assez droit, ni les mains assez pures.
Non, non : c'est à Dieu seul qu'il nous faut attacher.
Montrons Éliacin ; et, loin de le cacher,
Que du bandeau royal sa tête soit ornée.   1095
Je veux même avancer l'heure déterminée,
Avant que de Mathan le complot soit formé.

SCÈNE VII

JOAD, JOSABETH, AZARIAS, SUIVI DU CHŒUR ET DE PLUSIEURS
LÉVITES.

JOAD.

Hé bien, Azarias, le temple est-il fermé ?

AZARIAS.

J'en ai fait devant moi fermer toutes les portes.

JOAD.

N'y reste-t-il que vous et vos saintes cohortes ? 1100

AZARIAS.

De ses parvis sacrés j'ai deux fois fait le tour.
Tout a fui, tous se sont séparés sans retour,
Misérable troupeau qu'a dispersé la crainte,
Et Dieu n'est plus servi que dans la tribu sainte.
Depuis qu'à Pharaon ce peuple est échappé, 1105
Une égale terreur ne l'avait point frappé.

JOAD.

Peuple lâche, en effet, et né pour l'esclavage,
Hardi contre Dieu seul ! Poursuivons notre ouvrage.
Mais qui retient encor ces enfants parmi nous ?

UNE DES FILLES DU CHŒUR.

Hé ! pourrions-nous, seigneur, nous séparer de vous ? 1110
Dans le temple de Dieu sommes-nous étrangères ?
Vous avez près de vous nos pères et nos frères.

UNE AUTRE.

Hélas ! si, pour venger l'opprobre d'Israël,
Nos mains ne peuvent pas, comme autrefois Jahel,

Des ennemis de Dieu percer la tête impie,   1115
Nous lui pouvons du moins immoler notre vie.
Quand vos bras combattront pour son temple attaqué,
Par nos larmes du moins il peut être invoqué.

JOAD.

Voilà donc quels vengeurs s'arment pour ta querelle,
Des prêtres, des enfants, ô sagesse éternelle !   1120
Mais, si tu les soutiens, qui peut les ébranler ?
Du tombeau, quand tu veux, tu sais nous rappeler ;
Tu frappes et guéris, tu perds et ressuscites.
Ils ne s'assurent point en leurs propres mérites,
Mais en ton nom sur eux invoqué tant de fois,   1125
En tes serments jurés au plus saint de leurs rois,
En ce temple où tu fais ta demeure sacrée,
Et qui doit du soleil égaler la durée.
Mais d'où vient que mon cœur frémit d'un saint effroi ?
Est-ce l'esprit divin qui s'empare de moi ?   1130
C'est lui-même ; il m'échauffe, il parle ; mes yeux s'ou-
    vrent,
Et les siècles obscurs devant moi se découvrent.
Lévites, de vos sons prêtez-moi les accords, *harmonies*
Et de ses mouvements secondez les transports.

LE CHŒUR *chante au son de toute la symphonie des instruments.*

Que du Seigneur la voix se fasse entendre,   1135
    Et qu'à nos cœurs son oracle divin
Soit ce qu'à l'herbe tendre
    Est, au printemps, la fraîcheur du matin.

JOAD.

Cieux, écoutez ma voix ; terre, prête l'oreille !

Ne dis plus, ô Jacob, que ton Seigneur sommeille ! 1140
Pécheurs, disparaissez : le Seigneur se réveille.

*Ici recommence la symphonie, et Joad aussitôt reprend la
parole.*

Comment en un plomb vil l'or pur s'est-il changé ?
Quel est dans le lieu saint ce pontife égorgé ?
Pleure, Jérusalem, pleure, cité perfide,
Des prophètes divins malheureuse homicide ! 1145
De son amour pour toi ton Dieu s'est dépouillé.
Ton encens à ses yeux est un encens souillé.
Où menez-vous ces enfants et ces femmes ?
Le Seigneur a détruit la reine des cités ;
Ses prêtres sont captifs, ses rois sont rejetés ; 1150
Dieu ne veut plus qu'on vienne à ses solennités.
Temple, renverse-toi ! cèdres, jetez des flammes !
Jérusalem, objet de ma douleur,
Quelle main en un jour t'a ravi tous tes charmes ?
Qui changera mes yeux en deux sources de larmes 1155
Pour pleurer ton malheur ?

AZARIAS.

O saint temple !

JOSABETH.

O David !

LE CHŒUR.

Dieu de Sion, rappelle,
Rappelle en sa faveur tes antiques bontés.

*La symphonie recommence encore ; et Joad, un moment
après l'interrompt.*

JOAD.

Quelle Jérusalem nouvelle

Sort du fond du désert, brillante de clartés,   1160
Et porte sur le front une marque immortelle ?
    Peuples de la terre, chantez :
Jérusalem renaît plus charmante et plus belle.
    D'où lui viennent de tous côtés
Ces enfants qu'en son sein elle n'a point portés ?   1165
Lève, Jérusalem, lève ta tête altière ;
Regarde tous ces rois de ta gloire étonnés :
Les rois des nations, devant toi prosternés,
    De tes pieds baisent la poussière ;
Les peuples à l'envi marchent à ta lumière.   1170
Heureux qui pour Sion d'une sainte ferveur
    Sentira son âme embrasée !
    Cieux, répandez votre rosée,
Et que la terre enfante son Sauveur !

JOSABETH.

Hélas ! d'où vous viendra cette insigne faveur,   1175
Si les rois de qui doit descendre ce Sauveur . . .

JOAD.

Préparez, Josabeth, le riche diadème
Que sur son front sacré David porta lui-même.
    Aux lévites :

Et vous, pour vous armer, suivez-moi dans ces lieux
Où se garde caché, loin des profanes yeux,   1180
Ce formidable amas de lances et d'épées
Qui du sang philistin jadis furent trempées,
Et que David vainqueur, d'ans et d'honneurs chargé,
Fit consacrer au Dieu qui l'avait protégé.
Peut-on les employer pour un plus noble usage ?   1185
Venez, je veux moi-même en faire le partage.

SCÈNE VIII

SALOMITH, LE CHŒUR.

SALOMITH.

Que de craintes, mes sœurs, que de troubles mortels !
   Dieu tout-puissant, sont-ce là les prémices,
    Les parfums et les sacrifices,
Qu'on devait en ce jour offrir sur tes autels ?   1190

UNE DES FILLES DU CHŒUR.

   Quel spectacle à nos yeux timides !
   Qui l'eût cru qu'on dût voir jamais
Les glaives meurtriers, les lances homicides
   Briller dans la maison de paix ?

UNE AUTRE.

D'où vient que, pour son Dieu pleine d'indifférence,   1195
Jérusalem se tait en ce pressant danger ?
   D'où vient, mes sœurs, que pour nous protéger,
Le brave Abner au moins ne rompt pas le silence ?

SALOMITH.

Hélas ! dans une cour où l'on n'a d'autres lois
   Que la force et la violence,   1200
   Où les honneurs et les emplois
Sont le prix d'une aveugle et basse obéissance,
   Ma sœur, pour la triste innocence
   Qui voudrait élever sa voix ?

UNE AUTRE.

Dans ce péril, dans ce désordre extrême,   1205
Pour qui prépare-t-on le sacré diadème ?

SALOMITH.

Le Seigneur a daigné parler ;
Mais ce qu'à son prophète il vient de révéler,
Qui pourra nous le faire entendre ?
S'arme-t-il pour nous défendre ?
S'arme-t-il pour nous accabler ?

1210

TOUT LE CHŒUR *chante*.

O promesse ! ô menace ! ô ténébreux mystère !
Que de maux, que de biens sont prédits tour à tour !
Comment peut-on avec tant de colère
Accorder tant d'amour ?

121

UNE VOIX, *seule*.

Sion ne sera plus : une flamme cruelle
Détruira tous ses ornements.

UNE AUTRE VOIX.

Dieu protège Sion : elle a pour fondements
Sa parole éternelle.

LA PREMIÈRE.

Je vois tout son éclat disparaître à mes yeux.

122

LA SECONDE.

Je vois de toutes parts sa clarté répandue.

LA PREMIÈRE.

Dans un gouffre profond Sion est descendue. —

LA SECONDE.

Sion a son front dans les cieux.

LA PREMIÈRE.

Quel triste abaissement !

LA SECONDE.

Quelle immortelle gloire !

LA PREMIÈRE.

Que de cris de douleur !

LA SECONDE.

Que de chants de victoire !   1225

UNE TROISIÈME.

Cessons de nous troubler : notre Dieu, quelque jour,
    Dévoilera ce grand mystère.

TOUTES TROIS.

Révérons sa colère ;
Espérons en son amour.

UNE AUTRE.

D'un cœur qui t'aime,   1230
Mon Dieu, qui peut troubler la paix ?
    Il cherche en tout ta volonté suprême,
        Et ne se cherche jamais.
    Sur la terre, dans le ciel même,
Est-il d'autre bonheur que la tranquille paix   1235
        D'un cœur qui t'aime ?

ACTE QUATRIÈME

SCÈNE I

JOAS, JOSABETH, ZACHARIE, SALOMITH, UN LÉVITE, LE CHŒUR.

SALOMITH.

D'un pas majestueux à côté de ma mère,
Le jeune Éliacin s'avance avec mon frère.
Dans ces voiles, mes sœurs, que portent-ils tous deux?
Quel est ce glaive enfin qui marche devant eux?   1240

JOSABETH, *à Zacharie.*

Mon fils, avec respect posez sur cette table
De notre sainte loi le livre redoutable.
Et vous aussi, posez, aimable Éliacin,
Cet auguste bandeau près du livre divin.
Lévite, il faut placer, Joad ainsi l'ordonne,   1245
Le glaive de David auprès de sa couronne.

JOAS.

Princesse, quel est donc ce spectacle nouveau?
Pourquoi ce livre saint, ce glaive, ce bandeau?
Depuis que le Seigneur m'a reçu dans son temple,
D'un semblable appareil je n'ai point vu d'exemple.   1250

JOSABETH.

Tous vos doutes, mon fils, bientôt s'éclairciront.

JOAS.

Vous voulez essayer ce bandeau sur mon front?
Ah ! princesse, gardez d'en profaner la gloire :
Du roi qui l'a porté respectez la mémoire.
Un malheureux enfant aux ours abandonné ...   1255

JOSABETH, *lui essayant le diadème.*

Laissez, mon fils ; je fais ce qui m'est ordonné.

JOAS.

Mais j'entends les sanglots sortir de votre bouche !
Princesse, vous pleurez !   Quelle pitié vous touche ?
Est-ce qu'en holocauste aujourd'hui présenté,
Je dois, comme autrefois la fille de Jephté,   1260
Du Seigneur par ma mort apaiser la colère ?
Hélas ! un fils n'a rien qui ne soit à son père.

JOSABETH.

Voici qui vous dira les volontés des cieux.
Ne craignez rien.   Et nous, sortons tous de ces lieux.

SCÈNE II

JOAS, JOAD.

JOAS, *courant dans les bras du grand-prêtre.*

Mon père !   1265

JOAD.

Hé bien, mon fils ?

JOAS.

Qu'est-ce donc qu'on prépare ?

JOAD.

Il est juste, mon fils, que je vous le déclare.
Il faut que vous soyez instruit, même avant tous,
Des grands desseins de Dieu sur son peuple et sur vous.
Armez-vous d'un courage et d'une foi nouvelle :
Il est temps de montrer cette ardeur et ce zèle   1270
Qu'au fond de votre cœur mes soins ont cultivés,
Et de payer à Dieu ce que vous lui devez.
Sentez-vous cette noble et généreuse envie ?

JOAS.

Je me sens prêt, s'il veut, de lui donner ma vie.

JOAD.

On vous a lu souvent l'histoire de nos rois :   1275
Vous souvient-il, mon fils, quelles étroites lois
Doit s'imposer un roi digne du diadème ?

JOAS.

Un roi sage, ainsi Dieu l'a prononcé lui-même,
Sur la richesse et l'or ne met point son appui,
Craint le Seigneur son Dieu, sans cesse a devant lui   1280
Ses préceptes, ses lois, ses jugements sévères,
Et d'injustes fardeaux n'accable point ses frères.

JOAD.

Mais sur l'un de ces rois s'il fallait vous régler,
A qui choisiriez-vous, mon fils, de ressembler ?

JOAS.

David, pour le Seigneur plein d'un amour fidèle,   1285
Me paraît des grands rois le plus parfait modèle.

JOAD.

Ainsi dans leurs excès vous n'imiteriez pas
L'infidèle Joram, l'impie Ochozias ?

JOAS.

O mon père !

JOAD.

Achevez, dites : que vous en semble ?

JOAS.

Puisse périr comme eux quiconque leur ressemble !   1290

Joad se prosterne à ses pieds.

Mon père, en quel état vous vois-je devant moi !

JOAD.

Je vous rends le respect que je dois à mon roi.
De votre aïeul David, Joas, rendez-vous digne.

JOAS.

Joas ! moi ?

JOAD *se relevant.*

Vous saurez par quelle grâce insigne,
D'une mère en fureur Dieu trompant le dessein,   1295
Quand déjà son poignard était dans votre sein,
Vous choisit, vous sauva du milieu du carnage.
Vous n'êtes pas encore échappé de sa rage :
Avec la même ardeur qu'elle voulut jadis
Perdre en vous le dernier des enfants de son fils,   1300
A vous faire périr sa cruauté s'attache,
Et vous poursuit encor sous le nom qui vous cache.
Mais sous vos étendards j'ai déjà su ranger
Un peuple obéissant et prompt à vous venger.
Entrez, généreux chefs des familles sacrées,   1305
Du ministère saint tour à tour honorées !

SCÈNE III

JOAS, JOAD, AZARIAS, ISMAËL, ET LES TROIS AUTRES CHEFS
DES LÉVITES.

JOAD *continue.*

Roi, voilà vos vengeurs contre vos ennemis !
Prêtres, voilà le roi que je vous ai promis !

AZARIAS.

Quoi ! c'est Éliacin ?

ISMAËL.

    Quoi ! cet enfant aimable. . . .

JOAD.

Est des rois de Juda l'héritier véritable,   1310
Dernier né des enfants du triste Ochozias,
Nourri, vous le savez, sous le nom de Joas.
De cette fleur si tendre et sitôt moissonnée,
Tout Juda, comme vous, plaignant la destinée,
Avec ses frères morts le crut enveloppé.   1315
Du perfide couteau comme eux il fut frappé ;
Mais Dieu du coup mortel sut détourner l'atteinte,
Conserva dans son cœur la chaleur presque éteinte,
Permit que, des bourreaux trompant l'œil vigilant,
Josabeth dans son sein l'emportât tout sanglant,   1320
Et, n'ayant de son vol que moi seul pour complice,
Dans le temple cachât l'enfant et la nourrice.

JOAS.

Hélas ! de tant d'amour et de tant de bienfaits,
Mon père, quel moyen de m'acquitter jamais ?

JOAD.

Gardez pour d'autres temps cette reconnaissance.   1325
  Voilà donc votre roi, votre unique espérance.
J'ai pris soin jusqu'ici de vous le conserver :
Ministres du Seigneur, c'est à vous d'achever.
Bientôt de Jézabel la fille meurtrière,
Instruite que Joas voit encor la lumière,   1330
Dans l'horreur du tombeau viendra le replonger.
Déjà, sans le connaître, elle veut l'égorger.
Prêtres saints, c'est à vous de prévenir sa rage :
Il faut finir des Juifs le honteux esclavage,
Venger vos princes morts, relever votre loi,   1335
Et faire aux deux tribus reconnaître leur roi.
L'entreprise, sans doute, est grande et périlleuse :
J'attaque sur son trône une reine orgueilleuse,
Qui voit sous ses drapeaux marcher un camp nombreux
De hardis étrangers, d'infidèles Hébreux ;   1340
Mais ma force est au Dieu dont l'intérêt me guide.
Songez qu'en cet enfant tout Israël réside !
Déjà ce Dieu vengeur commence à la troubler ;
Déjà, trompant ses soins, j'ai su vous rassembler.
Elle nous croit ici sans armes, sans défense.   1345
Couronnons, proclamons Joas en diligence :
De là, du nouveau prince intrépides soldats,
Marchons, en invoquant l'arbitre des combats ;
Et réveillant la foi dans les cœurs endormie,
Jusque dans son palais cherchons notre ennemie.   1350
  Et quels cœurs si plongés dans un lâche sommeil,
Nous voyant avancer dans ce saint appareil,
Ne s'empresseront pas à suivre notre exemple ?
Un roi que Dieu lui-même a nourri dans son temple ;
Le successeur d'Aaron, de ses prêtres suivi,   1355

Conduisant au combat les enfants de Lévi ;
Et, dans ces mêmes mains des peuples révérées,
Les armes au Seigneur par David consacrées !
Dieu sur ses ennemis répandra sa terreur.
Dans l'infidèle sang baignez-vous sans horreur ;   1360
Frappez et Tyriens et même Israélites !
Ne descendez-vous pas de ces fameux lévites
Qui, lorsqu'au dieu du Nil le volage Israël
Rendit dans le désert un culte criminel,
De leurs plus chers parents saintement homicides,   1365
Consacrèrent leurs mains dans le sang des perfides,
Et par ce noble exploit vous acquirent l'honneur
D'être seuls employés aux autels du Seigneur ?
    Mais je vois que déjà vous brûlez de me suivre :
Jurez donc, avant tout, sur cet auguste livre   1370
A ce roi que le ciel vous redonne aujourd'hui,
De vivre, de combattre, et de mourir pour lui.

AZARIAS.

Oui, nous jurons ici pour nous, pour tous nos frères,
De rétablir Joas au trône de ses pères,
De ne poser le fer entre nos mains remis,   1375
Qu'après l'avoir vengé de tous ses ennemis.
Si quelque transgresseur enfreint cette promesse,
Qu'il éprouve, grand Dieu, ta fureur vengeresse ;
Qu'avec lui ses enfants, de ton partage exclus,
Soient au rang de ces morts que tu ne connais plus.   1380

JOAD.

Et vous, à cette loi, votre règle éternelle,
Roi, ne jurez-vous pas d'être toujours fidèle ?

JOAS.

Pourrais-je à cette loi ne me pas conformer ?

JOAD.

O mon fils ! de ce nom j'ose encor vous nommer,
Souffrez cette tendresse, et pardonnez aux larmes   1385
Que m'arrachent pour vous de trop justes alarmes.
Loin du trône nourri, de ce fatal honneur,
Hélas ! vous ignorez le charme empoisonneur ;
De l'absolu pouvoir vous ignorez l'ivresse,
Et des lâches flatteurs la voix enchanteresse.   1390
Bientôt ils vous diront que les plus saintes lois,
Maîtresses du vil peuple, obéissent aux rois ;
Qu'un roi n'a d'autre frein que sa volonté même ;
Qu'il doit immoler tout à sa grandeur suprême ;
Qu'aux larmes, au travail, le peuple est condamné,   1395
Et d'un sceptre de fer veut être gouverné ;
Que, s'il n'est opprimé, tôt ou tard il opprime :
Ainsi de piège en piège, et d'abîme en abîme,
Corrompant de vos mœurs l'aimable pureté,
Ils vous feront enfin haïr la vérité,   1400
Vous peindront la vertu sous une affreuse image.
Hélas ! ils ont des rois égaré le plus sage !
    Promettez sur ce livre, et devant ces témoins,
Que Dieu fera toujours le premier de vos soins ;
Que, sévère aux méchants, et des bons le refuge,   1405
Entre le pauvre et vous, vous prendrez Dieu pour juge ;
Vous souvenant, mon fils, que, caché sous ce lin,
Comme eux vous fûtes pauvre et comme eux orphelin.

JOAS.

Je promets d'observer ce que la loi m'ordonne.
Mon Dieu, punissez-moi si je vous abandonne !   1410

JOAD.

Venez : de l'huile sainte il faut vous consacrer.
Paraissez, Josabeth : vous pouvez vous montrer.

SCÈNE IV

Joas, Joad, Josabeth, Zacharie, Salomith, Azarias, Ismaël,
LES TROIS AUTRES CHEFS DES LÉVITES, LE CHŒUR.

JOSABETH, *embrassant Joas.*

O roi, fils de David !

JOAS.

O mon unique mère !

Venez, cher Zacharie, embrasser votre frère.

JOSABETH, *à Zacharie.*

Aux pieds de votre roi prosternez-vous, mon fils.   1415

Zacharie se jette aux pieds de Joas.

JOAD, *pendant qu'ils s'embrassent.*

Enfants, ainsi toujours puissiez-vous être unis !

JOSABETH, *à Joas.*

Vous savez donc quel sang vous a donné la vie ?

JOAS.

Et je sais quelle main sans vous me l'eût ravie.

JOSABETH.

De votre nom, Joas, je puis donc vous nommer.

JOAS.

Joas ne cessera jamais de vous aimer.   1420

LE CHŒUR.

Quoi ! c'est là . . .

JOSABETH.

C'est Joas.

JOAD.

Écoutons ce Lévite

SCÈNE V

Joas, Joad, Josabeth, Zacharie, Salomith, Azarias, Ismaël,
LES TROIS AUTRES CHEFS DES LÉVITES, UN LÉVITE,
LE CHŒUR.

UN LÉVITE.

J'ignore contre Dieu quel projet on médite ;
Mais l'airain menaçant frémit de toutes parts.
On voit luire des feux parmi des étendards,
Et sans doute Athalie assemble son armée.   1425
Déjà même au secours toute voie est fermée ;
Déjà le sacré mont, où le temple est bâti,
D'insolents Tyriens est partout investi :
L'un d'eux, en blasphémant, vient de nous faire entendre
Qu'Abner est dans les fers, et ne peut nous défendre.   1430

JOSABETH, à Joas.

Cher enfant, que le ciel en vain m'avait rendu,
Hélas ! pour vous sauver j'ai fait ce que j'ai pu :
Dieu ne se souvient plus de David votre père !

JOAD, à Josabeth.

Quoi ! vous ne craignez pas d'attirer sa colère
Sur vous et sur ce roi si cher à votre amour ?   1435
Et quand Dieu, de vos bras l'arrachant sans retour,
Voudrait que de David la maison fût éteinte,
N'êtes-vous pas ici sur la montagne sainte
Où le père des Juifs sur son fils innocent
Leva sans murmurer un bras obéissant,
Et mit sur un bûcher ce fruit de sa vieillesse,   1440

Laissant à Dieu le soin d'accomplir sa promesse,
Et lui sacrifiant, avec ce fils aimé,
Tout l'espoir de sa race, en lui seul renfermé?

Amis, partageons-nous : qu'Ismaël en sa garde   1445
Prenne tout le côté que l'orient regarde ;
Vous, le côté de l'ourse ; et vous, de l'occident ;
Vous, le midi. Qu'aucun, par un zèle imprudent,
Découvrant mes desseins, soit prêtre, soit lévite,
Ne sorte avant le temps, et ne se précipite ;   1450
Et que chacun enfin, d'un même esprit poussé,
Garde en mourant le poste où je l'aurai placé.
L'ennemi nous regarde, en son aveugle rage,
Comme de vils troupeaux réservés au carnage,
Et croit ne rencontrer que désordre et qu'effroi.   1455
Qu'Azarias partout accompagne le roi.

    A Joas :

Venez, cher rejeton d'une vaillante race,
Remplir vos défenseurs d'une nouvelle audace ;
Venez du diadème à leurs yeux vous couvrir,
Et périssez du moins en roi, s'il faut périr !   1460
Suivez-le, Josabeth.

    A un lévite :

                 Vous, donnez-moi ces armes.

    Au chœur :

Enfants, offrez à Dieu vos innocentes larmes.

SCÈNE VI

SALOMITH, LE CHŒUR.

TOUT LE CHŒUR.

Partez, enfants d'Aaron, partez :
Jamais plus illustre querelle
De vos aïeux n'arma le zèle.   1465
Partez, enfants d'Aaron, partez :
C'est votre roi, c'est Dieu pour qui vous combattez.

UNE VOIX, *seule.*

Où sont les traits que tu lances,
Grand Dieu, dans ton juste courroux ?
N'es-tu plus le Dieu jaloux ?   1470
N'es-tu plus le Dieu des vengeances ?

UNE AUTRE.

Où sont, Dieu de Jacob, tes antiques bontés ?
Dans l'horreur qui nous environne,
N'entends-tu que la voix de nos iniquités ?
N'es-tu plus le Dieu qui pardonne ?   1475

TOUT LE CHŒUR.

Où sont, Dieu de Jacob, tes antiques bontés ?

UNE VOIX, *seule.*

C'est à toi que dans cette guerre
Les flèches des méchants prétendent s'adresser.
"Faisons, disent-ils, cesser
Les fêtes de Dieu sur la terre :   1480
De son joug importun délivrons les mortels :
Massacrons tous ses saints ; renversons ses autels ;

Que de son nom, que de sa gloire
Il ne reste plus de mémoire :
Que ni lui ni son Christ ne règnent plus sur nous."   1485

TOUT LE CHŒUR.

Où sont les traits que tu lances,
Grand Dieu, dans ton juste courroux ?
N'es-tu plus le Dieu jaloux ?
N'es-tu plus le Dieu des vengeances ?

UNE VOIX, *seule*.

Triste reste de nos rois,   1490
Chère et dernière fleur d'une tige si belle,
Hélas ! sous le couteau d'une mère cruelle
Te verrons-nous tomber une seconde fois ?
Prince aimable, dis-nous si quelque ange, au berceau,
Contre tes assassins prit soin de te défendre ;   1495
        Ou si dans la nuit du tombeau
La voix du Dieu vivant a ranimé ta cendre ?

UNE AUTRE.

D'un père et d'un aïeul contre toi révoltés,
Grand Dieu, les attentats lui sont-ils imputés ?
Est-ce que sans retour ta pitié l'abandonne ?   1500

LE CHŒUR.

Où sont, Dieu de Jacob, tes antiques bontés ?
        N'es-tu plus le Dieu qui pardonne ?

UNE DES FILLES DU CHŒUR, *sans chanter*.

Chères sœurs, n'entendez-vous pas
Des cruels Tyriens la trompette qui sonne ?

SALOMITH.

J'entends même les cris des barbares soldats,   1505
    Et d'horreur j'en frissonne.
  Courons, fuyons ; retirons-nous
    A l'ombre salutaire
  Du redoutable sanctuaire.

ACTE CINQUIÈME

SCÈNE I

ZACHARIE SALOMITH, LE CHŒUR.

SALOMITH.

Cher Zacharie, eh bien, que nous apprenez-vous ?   1510

ZACHARIE.

Redoublez au Seigneur votre ardente prière :
Peut-être nous touchons à notre heure dernière.
Pour l'horrible combat, ma sœur, l'ordre est donné.

SALOMITH.

Que fait Joas ?

ZACHARIE.

Joas vient d'être couronné :
Le grand-prêtre a sur lui répandu l'huile sainte.   1515
O ciel ! dans tous les yeux quelle joie était peinte
A l'aspect de ce roi racheté du tombeau !
Ma sœur, on voit encor la marque du couteau ;
On voit paraître aussi sa fidèle nourrice,
Qui, cachée en un coin de ce vaste édifice,   1520
Gardait ce cher dépôt, et n'avait de ses soins
Que les yeux de ma mère et que Dieu pour témoins.
Nos lévites pleuraient de joie et de tendresse,
Et mêlaient leurs sanglots à leurs cris d'allégresse.
Lui, parmi ces transports, affable et sans orgueil,   1525
A l'un tendait la main, flattait l'autre de l'œil,

Jurait de se régler par leurs avis sincères,
Et les appelait tous ses pères ou ses frères.

SALOMITH.

Ce secret au dehors est-il aussi semé ?

ZACHARIE.

Ce secret dans le temple est encor renfermé.   1530
Des enfants de Lévi la troupe partagée
Dans un profond silence aux portes s'est rangée.
Tous doivent à la fois précipiter leurs pas,
Et crier pour signal : Vive le roi Joas !
Mais mon père défend que le roi se hasarde,   1535
Et veut qu'Azarias demeure pour sa garde.
Cependant Athalie, un poignard à la main,
Rit des faibles remparts de nos portes d'airain.
Pour les rompre, elle attend les fatales machines,
Et ne respire enfin que sang et que ruines.   1540
Quelques prêtres, ma sœur, ont d'abord proposé
Qu'en un lieu souterrain, par nos pères creusé,
On renfermât du moins notre arche précieuse.
« O crainte, a dit mon père, indigne, injurieuse !
L'arche qui fit tomber tant de superbes tours,   1545
Et força le Jourdain de rebrousser son cours,
Des dieux des nations tant de fois triomphante,
Fuirait donc à l'aspect d'une femme insolente ! »
Ma mère, auprès du roi, dans un trouble mortel,
L'œil tantôt sur ce prince et tantôt vers l'autel,   1550
Muette, et succombant sous le poids des alarmes,
Aux yeux les plus cruels arracherait des larmes.
Le roi de temps en temps la presse entre ses bras.
La flatte . . . Chères sœurs, suivez toutes mes pas ;

Et, s'il faut aujourd'hui que notre roi périsse,   1555
Allons, qu'un même sort avec lui nous unisse.

SALOMITH.

Quelle insolente main frappe à coups redoublés?
Qui fait courir ainsi ces lévites troublés?
Quelle précaution leur fait cacher leurs armes?
Le temple est-il forcé?   1560

ZACHARIE.

Dissipez vos alarmes :
Dieu nous envoie Abner.

SCÈNE II

Joas, Josabeth, Zacharie, Salomith, Abner, Ismaël,
deux lévites, le chœur.

JOAD.

En croirai-je mes yeux,
Cher Abner?   Quel chemin a pu jusqu'en ces lieux
Vous conduire au travers d'un camp qui nous assiège?
On disait que d'Achab la fille sacrilège
Avait, pour assurer ses projets inhumains,   1565
Chargé d'indignes fers vos généreuses mains.

ABNER.

Oui, seigneur, elle a craint mon zèle et mon courage ;
Mais c'est le moindre prix que me gardait sa rage.
Dans l'horreur d'un cachot par son ordre enfermé,
J'attendais que, le temple en cendres consumé,   1570
De tant de flots de sang non encore assouvie,
Elle vînt m'affranchir d'une importune vie,

Et retrancher des jours qu'aurait dû mille fois
Terminer la douleur de survivre à mes rois.

JOAD.

Par quel miracle a-t-on obtenu votre grâce ?   1575

ABNER.

Dieu dans ce cœur cruel sait seul ce qui se passe.
Elle m'a fait venir, et d'un air égaré :
" Tu vois de mes soldats tout ce temple entouré,
Dit-elle ; un feu vengeur va le réduire en cendre,
Et ton Dieu contre moi ne le saurait défendre.   1580
Ses prêtres toutefois, mais il faut se hâter,
A deux conditions peuvent se racheter :
Qu'avec Éliacin on mette en ma puissance
Un trésor dont je sais qu'ils ont la connaissance,
Par votre roi David autrefois amassé,   1585
Sous le sceau du secret au grand-prêtre laissé.
Va, dis-leur qu'à ce prix je leur permets de vivre."

JOAD.

Quel conseil, cher Abner, croyez-vous qu'on doit suivre ?

ABNER.

Et tout l'or de David, s'il est vrai qu'en effet
Vous gardiez de David quelque trésor secret ;   1590
Et tout ce que des mains de cette reine avare
Vous avez pu sauver et de riche et de rare,
Donnez-le.   Voulez-vous que d'impurs assassins
Viennent briser l'autel, brûler les chérubins,
Et, portant sur notre arche une main téméraire,   1595
De votre propre sang souiller le sanctuaire ?

JOAD.

Mais siérait-il, Abner, à des cœurs généreux
De livrer au supplice un enfant malheureux,
Un enfant que Dieu même à ma garde confie,
Et de nous racheter aux dépens de sa vie ?   1600

ABNER.

Hélas ! Dieu voit mon cœur.   Plût à ce Dieu puissant
Qu'Athalie oubliât un enfant innocent,
Et que du sang d'Abner sa cruauté contente
Crût calmer par ma mort le ciel qui la tourmente !
Mais que peuvent pour lui vos inutiles soins ?   1605
Quand vous périrez tous, en périra-t-il moins ?
Dieu vous ordonne-t-il de tenter l'impossible ?
Pour obéir aux lois d'un tyran inflexible,
Moïse, par sa mère au Nil abandonné,
Se vit, presqu'en naissant, à périr condamné ;   1610
Mais Dieu, le conservant contre toute espérance,
Fit par le tyran même élever son enfance.
Qui sait ce qu'il réserve à votre Éliacin,
Et si, lui préparant un semblable destin,
Il n'a point de pitié déjà rendu capable   1615
De nos malheureux rois l'homicide implacable ?
Du moins, et Josabeth comme moi l'a pu voir,
Tantôt à son aspect je l'ai vu s'émouvoir ;
J'ai vu de son courroux tomber la violence.
Princesse, en ce péril, vous gardez le silence !   1620
Hé quoi ! pour un enfant qui vous est étranger,
Souffrez-vous que sans fruit Joad laisse égorger
Vous, son fils, tout ce peuple, et que le feu dévore
Le seul lieu sur la terre où Dieu veut qu'on l'adore ?
Que feriez-vous de plus, si des rois vos aïeux   1625
Ce jeune enfant était un reste précieux ?

JOSABETH, *tout bas à Joad.*

Pour le sang de ses rois vous voyez sa tendresse :
Que ne lui parlez-vous?

JOAD.

Il n'est pas temps, princesse.

ABNER.

Le temps est cher, seigneur, plus que vous ne pensez.
Tandis qu'à me répondre ici vous balancez,   1630
Mathan, près d'Athalie, étincelant de rage,
Demande le signal, et presse le carnage.
Faut-il que je me jette à vos sacrés genoux?
Au nom du lieu si saint qui n'est ouvert qu'à vous,
Lieu terrible où de Dieu la majesté repose,   1635
Quelque dure que soit la loi qu'on vous impose,
De ce coup imprévu songeons à nous parer.
Donnez-moi seulement le temps de respirer :
Demain, dès cette nuit, je prendrai des mesures
Pour assurer le temple et venger ses injures.   1640
Mais je vois que mes pleurs et que mes vains discours
Pour vous persuader sont un faible secours ;
Votre austère vertu n'en peut être frappée :
Eh bien, trouvez-moi donc quelque arme, quelque épée ;
Et qu'aux portes du temple, où l'ennemi m'attend,   1645
Abner puisse du moins mourir en combattant.

JOAD.

Je me rends.   Vous m'ouvrez un avis que j'embrasse :
De tant de maux, Abner, détournons la menace.
Il est vrai, de David un trésor est resté ;
La garde en fut commise à ma fidélité.   1650
C'était des tristes Juifs l'espérance dernière,
Que mes soins vigilants cachaient à la lumière.

Mais puisqu'à votre reine il faut le découvrir,
Je vais la contenter, nos portes vont s'ouvrir.
De ses plus braves chefs qu'elle entre accompagnée ;　　1655
Mais de nos saints autels qu'elle tienne éloignée
D'un ramas d'étrangers l'indiscrète fureur :
Du pillage du temple épargnez-moi l'horreur.
Des prêtres, des enfants lui feraient-ils quelque ombre ?
De sa suite avec vous qu'elle règle le nombre.　　1660
Et quant à cet enfant si craint, si redouté,
De votre cœur, Abner, je connais l'équité ;
Je vous veux devant elle expliquer sa naissance :
Vous verrez s'il le faut remettre en sa puissance,
Et je vous ferai juge entre Athalie et lui.　　1665

ABNER.

Ah ! je le prends déjà, seigneur, sous mon appui.
Ne craignez rien.　Je cours vers celle qui m'envoie.

SCÈNE III

JOAD, JOSABETH, ZACHARIE, SALOMITH, ISMAËL, DEUX
LÉVITES, LE CHŒUR.

JOAD.

Grand Dieu ! voici ton heure, on t'amène ta proie !
Ismaël, écoutez.

Il lui parle à l'oreille.

JOSABETH.

Puissant maître des cieux,
Remets-lui le bandeau dont tu couvris ses yeux　　167

Lorsque, lui dérobant tout le fruit de son crime,
Tu cachas dans mon sein cette tendre victime.

JOAD.

Allez, sage Ismaël, ne perdez point de temps ;
Suivez de point en point ces ordres importants.
Surtout qu'à son entrée, et que sur son passage   1675
Tout d'un calme profond lui présente l'image.
Vous, enfants, préparez un trône pour Joas ;
Qu'il s'avance suivi de nos sacrés soldats.
Faites venir aussi sa fidèle nourrice,
Princesse, et de vos pleurs que la source tarisse.   1680

A un lévite :

Vous, dès que cette reine, ivre d'un fol orgueil,
De la porte du temple aura passé le seuil,
Qu'elle ne pourra plus retourner en arrière,
Prenez soin qu'à l'instant la trompette guerrière
Dans le camp ennemi jette un subit effroi ;   1685
Appelez tout le peuple au secours de son roi ;
Et faites retentir jusques à son oreille
De Joas conservé l'étonnante merveille.
Il vient.

SCÈNE IV

JOAS, JOAD, JOSABETH, ZACHARIE, SALOMITH, AZARIAS,
TROUPE DE PRÊTRES ET DE LÉVITES, LE CHŒUR.

JOAD *continue.*

Lévites saints, prêtres de notre Dieu,
Partout, sans vous montrer, environnez ce lieu ;   1690
Et, laissant à mes soins gouverner votre zèle,

Pour paraître attendez que ma voix vous appelle.

Ils se cachent tous.

    Roi, je crois qu'à vos vœux cet espoir est permis :
Venez voir à vos pieds tomber vos ennemis.
Celle dont la fureur poursuivit votre enfance   1695
Vers ces lieux à grands pas pour vous perdre s'avance ;
Mais ne la craignez point : songez qu'autour de vous
L'ange exterminateur est debout avec nous.
Montez sur votre trône, et . . . Mais la porte s'ouvre :
Permettez un moment que ce voile vous couvre.   1700

Il tire un rideau.

Vous changez de couleur, princesse !

JOSABETH.

Ah ! sans pâlir,

Puis-je voir d'assassins le temple se remplir ?
Quoi ! ne voyez-vous pas quelle nombreuse escorte . . .

JOAD.

Je vois que du saint temple on referme la porte :
Tout est en sûreté.   1705

SCÈNE V

Joas, Athalie, Joad, Josabeth, Abner, suite d'Athalie.

Joas est caché derrière le rideau.

ATHALIE, *à Joad.*

Te voilà, séducteur,

De ligues, de complots, pernicieux auteur,
Qui dans le trouble seul as mis tes espérances.
Éternel ennemi des suprêmes puissances [1]

En l'appui de ton Dieu tu t'étais reposé :
De ton espoir frivole es-tu désabusé ? 1710
Il laisse en mon pouvoir et ton temple et ta vie.
Je devrais sur l'autel où ta main sacrifie
Te . . . Mais du prix qu'on m'offre il faut me contenter.
Ce que tu m'as promis, songe à l'exécuter :
Cet enfant, ce trésor qu'il faut qu'on me remette, 1715
Où sont-ils ?

JOAD.

Sur-le-champ tu seras satisfaite :
Je te les vais montrer l'un et l'autre à la fois.

Le rideau se tire.

Paraissez, cher enfant, digne sang de nos rois.

*Le rideau étant tiré, on voit Joas sur son trône : sa nour-
rice est à genoux à sa droite ; Azarias, l'épée à la main,
est debout à sa gauche ; et près de lui Zacharie et Salomith sont à genoux sur les degrés du trône : plusieurs lévites, l'épée à la main, sont rangés sur les côtés.*

Connais-tu l'héritier du plus saint des monarques,
Reine ? De ton poignard connais du moins ces mar- 1720
ques !
Voilà ton roi, ton fils, le fils d'Ochozias !
Peuples, et vous, Abner, reconnaissez Joas !

ABNER.

Ciel !

ATHALIE, *à Joad.*

Perfide !

JOAD.

Vois-tu cette Juive fidèle
Dont tu sais bien qu'alors il suçait la mamelle ?
Il fut par Josabeth à ta rage enlevé : 1725

Ce temple le reçut, et Dieu l'a conservé.
Des trésors de David voilà ce qui me reste.

ATHALIE.

Ta fourbe à cet enfant, traître, sera funeste.
D'un fantôme odieux, soldats, délivrez-moi !

JOAD.

Soldats du Dieu vivant, défendez votre roi !   1730

*Le fond du théâtre s'ouvre : on voit le dedans du temple ; et
les lévites armés entrent de tous côtés sur la scène.*

ATHALIE.

Où suis-je ? O trahison ! ô reine infortunée !
D'armes et d'ennemis je suis environnée !

JOAD.

Tes yeux cherchent en vain, tu ne peux échapper,
Et Dieu de toutes parts a su t'envelopper.
Ce Dieu que tu bravais en nos mains t'a livrée ;   1735
Rends-lui compte du sang dont tu t'es enivrée.

ATHALIE.

Quoi ! la peur a glacé mes indignes soldats !
Lâche Abner, dans quel piège as tu conduit mes pas ?

ABNER.

Reine, Dieu m'est témoin . . .

ATHALIE.

Laisse là ton Dieu, traître,

Et venge-moi.

ABNER, *se jetant aux pieds de Joas.*

Sur qui ? Sur Joas ! sur mon maître !   1740

ATHALIE.

Lui Joas ! lui ton roi !   Songez, méchants, songez
Que mes armes encor vous tiennent assiégés.
J'entends à haute voix tout mon camp qui m'appelle.
On vient à mon secours : tremblez, troupe rebelle !

SCÈNE VI

JOAS, ATHALIE, JOAD, ISMAËL, ET TOUS LES ACTEURS DE LA
SCÈNE PRÉCÉDENTE.

ISMAËL, *à Joad.*

Seigneur, le temple est libre et n'a plus d'ennemis :   1745
L'étranger est en fuite, et le Juif est soumis.
Comme le vent dans l'air dissipe la fumée,
La voix du Tout-Puissant a chassé cette armée.
Nos lévites, du haut de nos sacrés parvis,
D'Ochozias au peuple ont annoncé le fils,   1750
Ont conté son enfance au glaive dérobée,
Et la fille d'Achab dans le piège tombée.
Partout en même temps la trompette a sonné ;
Et ses sons et leurs cris dans son camp étonné
Ont répandu le trouble et la terreur subite   1755
Dont Gédéon frappa le fier Madianite.
Les Tyriens, jetant armes et boucliers,
Ont, par divers chemins, disparu les premiers.
Quelques Juifs éperdus ont aussi pris la fuite ;
Mais, de Dieu sur Joas admirant la conduite,   1760
Le reste à haute voix s'est pour lui déclaré.
Enfin, d'un même esprit tout le peuple inspiré,

Femmes, vieillards, enfants, s'embrassant avec joie,
Bénissent le Seigneur et celui qu'il envoie.
Tous chantent de David le fils ressuscité.   1765
Baal est en horreur dans la sainte cité ;
De son temple profane on a brisé les portes ;
Mathan est égorgé.

ATHALIE.

            Dieu des Juifs, tu l'emportes !
Oui, c'est Joas ; je cherche en vain à me tromper :
Je reconnais l'endroit où je le fis frapper ;   1770
Je vois d'Ochozias et le port et le geste ;
Tout me retrace enfin un sang que je déteste.
David, David triomphe ; Achab seul est détruit.
Impitoyable Dieu, toi seul as tout conduit !
C'est toi qui, me flattant d'une vengeance aisée,   1775
M'as vingt fois en un jour à moi-même opposée :
Tantôt pour un enfant excitant mes remords,
Tantôt m'éblouissant de tes riches trésors,
Que j'ai craint de livrer aux flammes, au pillage.
Qu'il règne donc ce fils, ton soin et ton ouvrage ;   1780
Et que, pour signaler son empire nouveau,
On lui fasse en mon sein enfoncer le couteau !
Voici ce qu'en mourant lui souhaite sa mère :
Que dis-je, souhaiter !   Je me flatte, j'espère
Qu'indocile à ton joug, fatigué de ta loi,   1785
Fidèle au sang d'Achab, qu'il a reçu de moi,
Conforme à son aïeul, à son père semblable,
On verra de David l'héritier détestable
Abolir tes honneurs, profaner ton autel,
Et venger Athalie, Achab et Jézabel.

               Athalie sort, les lévites la suivent.

JOAD.

Qu'à l'instant hors du temple elle soit emmenée,
Et que la sainteté n'en soit pas profanée.
Allez, sacrés vengeurs de vos princes meurtris,
De leur sang par sa mort faire cesser les cris.
Si quelque audacieux embrasse sa querelle,   1795
Qu'à la fureur du glaive on le livre avec elle.

SCÈNE VII

JOAS, JOAD, JOSABETH, ABNER, ET TOUS LES ACTEURS DE LA
SCÈNE PRÉCÉDENTE.

JOAS, *descendu de son trône.*

Dieu, qui voyez mon trouble et mon affliction,
Détournez loin de moi sa malédiction,
Et ne souffrez jamais qu'elle soit accomplie :
Faites que Joas meure avant qu'il vous oublie.   1800

JOAD, *aux lévites.*

Appelez tout le peuple, et montrons-lui son roi :
Qu'il lui vienne en ses mains renouveler sa foi.
Roi, prêtres, peuple, allons, pleins de reconnaissance,
De Jacob avec Dieu confirmer l'alliance,
Et, saintement confus de nos égarements,   1805
Nous rengager à lui par de nouveaux serments.
Abner, auprès du roi reprenez votre place.

SCÈNE VIII

JOAS, JOAD, UN LÉVITE, ET TOUS LES ACTEURS DE LA SCÈNE
PRÉCÉDENTE.

JOAD, *au lévite.*

Hé bien ! de cette impie a-t-on puni l'audace ?

UN LÉVITE.

Le fer a de sa vie expié les horreurs.
Jérusalem, longtemps en proie à ses fureurs,   1810
De son joug odieux à la fin soulagée,
Avec joie en son sang la regarde plongée.

JOAD.

Par cette fin terrible, et due à ses forfaits,
Apprenez, roi des Juifs, et n'oubliez jamais :
Que les rois dans le ciel ont un juge sévère,   1815
L'innocence un vengeur, et l'orphelin un père.

FIN

NOTES.

NOTES.

THE PRÉFACE DE L'AUTEUR states with sufficient minuteness the sources of the tragedy. The principal events are presented substantially as related in 2 Kings xi and 2 Chron. xxii and xxiii. The author used the Latin version of the Bible known as the "Vulgate," which varies from the English translation in some particulars. Whenever necessary, such variation is pointed out in the notes.

To avoid repetition, the pronunciation of proper nouns, where it differs from the ordinary French rule, is here given:

In Joas, Azarias, Ochozias, the final *s* is sharply pronounced, like *ss* in hiss. The *ch* in Achab and Zacharie is pronounced *k*. In Achitophel it has the sound of *sh*. The final consonants in Achab, Jacob, David and Joad are pronounced. The same is true in Salomith, Naboth. Josabeth, the *th* being, of course, equal to a simple *t*. The final *t* is silent in Josaphat.

LES NOMS DES PERSONNAGES. — The English Bible has the following equivalents: *Joas*, Joash; *Athalie*, Athaliah; *Josabeth*, Josheba; *Joad* (Joïada) Jehoïada; *Agar*, Hagar; *Zacharie*, Zechariah; *Mathan*, Mattan. Of the different characters the following are historical: Joash, Athaliah, Jehoïada, Zechariah and Mattan. The names of the other persons are biblical, but the characters are invented.

As to the scenery, it should be noted that, in accordance with the requirements of the "classic" theater of the period, it does not change. As a rule it must represent a vestibule or the like into which different rooms open. The actors come from these rooms and return to them. As there is no change of scene, the acting is limited. What Shakespeare and other dramatists represent as going on before the eyes of the spectators is generally made the subject of a recital by the French tragedians. The splendid effect produced in the fifth act of *Athalie* by the parting of the curtain, thus revealing the interior of the temple, is a clever device of the poet to make the best of an awkward rule.

Distinguished visitors were given seats upon the stage, which re-mained open between the acts. The scene was not left vacant from the beginning to the end of the piece: when there was no actor on the scene, the chorus appeared and did not leave until the actors returned. The division into acts is therefore theoretical rather than practical.

The following Pedigree of King Joash is taken from Franz Hummel's edition of *Athalie* (Leipzig, 1887). Professor Stevenson of the chair of Hebrew, in Vanderbilt University, kindly assisted the editor in examining this pedigree and other matters concerning the facts and the language of the Bible, allusions to which occur in the tragedy.

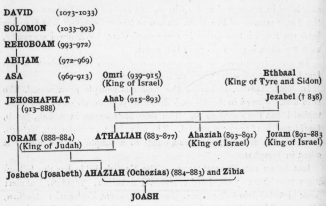

DAVID (1073–1033)
SOLOMON (1033–993)
REHOBOAM (993–972)
ABIJAM (972–969)
ASA (969–913)   Omri (939–915)   Ethbaal
(King of Israel)   (King of Tyre and Sidon)
JEHOSHAPHAT   Ahab (915–893)   Jezabel († 838)
(913–888)
JORAM (888–884)   **ATHALIAH** (883–877)   Ahaziah (893–891)   Joram (891–883)
(King of Judah)   (King of Israel)   (King of Israel)
Josheba (Josabeth) AHAZIAH (Ochozias) (884–883) and Zibia
JOASH

NOTE. — Josheba (Josabeth), and Ahaziah, the father of Joash, were sister and brother, but of different mothers.

PREFACE.

This *Préface* should be read carefully, as it is a fine specimen of Racine's prose. Geoffroy, in his edition of *Athalie*, has said : " *Toux ceux qui veulent bien entrer dans l'esprit de la tragédie doivent lire avec attention cette préface ; c'est un chef-d'œuvre de clarté, de simplicité et d'ordre.*"

Page 1. — 1. **tout ce qu'il y avait de prêtres,** — the construction is *ce de prêtres* analogous with *beaucoup* and other adverbs of quantity followed by *de*. Trans., *all the priests there were* . . .

2. . . . se retirèrent, plural verb agreeing with *prêtres*. Cf. *Beau-coup d'enfants sont venus*.

3. faisaient, *constituted*.

4. d'un tour de sabbat . . . *from one sabbath to another*. Cf. 2 Chron. xxiii, 8, where it is stated that "the Levites and all Judah did according to all things that Jehoïada the priest had commanded, and took every man his men that were to come in on the Sabbath, with them that were to go out on the Sabbath: for Jehoïada, the priest, dismissed not the courses." Cf. also 1 Chron. xxiii, 3–5; ibid. xxiv, 3–5; ibid. xxiii, 6.

5. Aaron. The two *a*'s are separately pronounced.

6. lesquels pussent, for *qui pussent*. Paul Mesnard suggests the possibility that Racine used *lesquels* in order not to make an Alexandrine line, i.e. "*qui pussent exercer la sacrificature*." Perhaps the most natural explanation is that R. wished to avoid ambiguity, though the form of the verb made this unnecessary.

7. ne laisse pas d'être donné, an idiomatic use of *laisser*. Trans., *is, however* (or nevertheless), *occasionally given*.

Page 2. — 1. en semaine, *on duty for the week*. Cf. note 4, on page 1.

2. pains de proposition, *shew-bread*.

3. . . . tradition . . . This tradition is found in the history of the Church, in Latin, by Lightfoot, an English theologian. Racine's notes prove that he had carefully studied this author. Lightfoot says: "*Fundamenta templi jacta in monte Moria, ubi Isaac fuerat oblatus.*" (The foundations of the temple were placed on Mount Moriah, where Isaac had been offered by way of sacrifice.)

Page 3. — 1. . . . que Dieu avait fait sacrer par . . . Note that in this and similar expressions the original and separate force of the verb (*faire*) is no longer felt; *faire sacrer* seems to have the force of a compound verb. This explains why "*par ses prophètes*" is used to express the agent.

2. Paralipomènes, *the Chronicles* (of the Bible). παραλειπόμενα things omitted (i.e. in the Books of Kings.)

3. Sévère Sulpice, i.e. *Sulpicius Severus* (about 363–429), an early writer who wrote in Latin a history of the world. He was called the Christian Sallust.

Page 4. — 1. **portée,** lit., reach or carrying power, as of a gun, etc. Trans., *capacity.*

2. **Quand j'aurais été** . . . **quand** is here used for *si,* which, in the sense of *if* expressing a condition, must not stand before a conditional or future.

3. **Il n'en était pas de même** . . . **que.** *It was not with the children of the Jews as with the greater part of our children.* The **en** refers to what had been said before; **de même,** *just so,* or *the same thing,* adverbially used.

4. **dès la mamelle.** Saint Paul says, " *from a babe* " (ἀπο βρέφους) 2 Tim. iii, 15.

5. **chaque Juif** . . . The statement is erroneous. It is easily corrected by a reference to Deut. v, 17, 18.

6. **. . . de huit ans et demi** . . . This prince was Louis, duke of Burgundy, the pupil of Fénelon. He died in 1712.

7. **Joïda** . . . **Josèphe.** The name is written Ἰώδαος in the writings of Josephus. The Septuagint has Ἰωδαέ. *Josephus,* the well known author of a " History of the Jewish war," born, 37 A.D.

Page 5. — 1. **Il s'agissait de . . .,** *the object was* . . . Cf. Lat. *res agitur.*

2. **prélat,** i.e. Bossuet, the celebrated pulpit orator and historian, bishop of Meaux (1627–1694). See his *"Discours sur l'Histoire Universelle,* II, 4."

3. **. . . nations,** in the scriptural sense, *the heathen.*

4. **veulent,** want to have it; *insist.*

5. **Pentecôte,** *pentecost.* Cf. Levit. xxiii, 15. The three festivals were: 1. Passah, or the Feast of the Unleavened Bread. 2. The Feast of Weeks, or festival of the first harvest (Pentecost). 3. The Feast of the Tabernacles. Cf. Deut. xvi, 1–17.

6. **prémices,** *first-fruits.* Lat. *praemitia.*

Page 6. — 1. **moralités,** moral reflections, in a poetic form.

2. **. . . de faire prédire . . . à Joad,** *to cause Jehoïada to predict* . .

3. Cf. note 1, page 5.

Page 7. — 1. **le trouble,** *the confusion, condition of anxiety, anxious uncertainty;* (not "trouble").

ACT I.

The first act contains what is technically called the exposition of the drama. An earlier commentator of Racine, Geoffroy, has said of this exposition, that " *il n'existe pas d'autre exemple d'une aussi grande perfection.*" In the most natural manner, and yet with poetic splendor, the great problem of the drama is laid before us. The first words of Abner strike the key-note of all that follows.

In this first act, touch after touch is applied to make the picture vivid and clear. In the following acts this process is continued. The characters are made to stand out in strong relief, full of life and energy, and all this is accomplished by the simplest means : the great art of the poet appearing precisely in the fact that he hides his art. " *L'arte che tutto fa nulla si scuopre.*" "The art which works all this is nowhere openly presented."

1. **oui**, emphatic, as if reiterating a previous statement.

3. **journée.** The suffix *ée* in words like *journée, année, soirée, matinée* gives the idea that something occurs during the time indicated. Cf. English "journey" for *journée*, a day's work or travel.

4. **le mont Sina**, for *Sinaï*, on account of the meter. *Sinaï* occurs 332.

la loi, *the ten commandments.* The commemoration of this event coincided with the " Feast of Weeks " (Pentecost).

6. **La trompette sacrée** . . . See Numbers x, 10. The hiatus with *annonçait* is permitted because *é* is followed by a mute *e*. The imperfect may here be rendered by *used to announce.*

8. **inondait**, trans. either by *used to* or *would* with the infinitive, i.e. *the people crowded, used to crowd,* or *would crowd* . . .

11. **consacraient.** Note that the verbal ending -*aient* counts only as one syllable.

15. Construe : *A peine un petit nombre d'adorateurs* . . .

16. **ombre**, here *semblance*, lit., shadow.

19. **se fait initier**, *have themselves*, or *cause themselves to be, initiated.* Cf. 151.

honteux mystères, these consisted in part of human sacrifices.

20. **leurs** should refer to a plural antecedent; it refers here to **Le reste** in l. 17, by poetic license (*syllepsis*).

21. **qu'**, *lest.*

23. **n'achève**, subjunctive with **ne** after **je tremble**, which carries the idea of *je crains.*

24. . . . **dépouille les restes** . . . (*may*) *lay aside what is left of.*

25. Note that an adjective, even of color, precedes its noun when the meaning is figurative.

31. Construe : *Cette reine jalouse du mérite* . . .

33. **Aaron.** Here, as elsewhere in the text of the tragedy, only one *a* should be pronounced. But cf. Page 1, 5, of Préface.

36. **assiège**, pronounce *a-ssiè-ge.*

37. **infâme déserteur.** The scriptures say nothing about Mathan having been originally a Levite.

39. **C'est peu que** . . . idiomatic for *ce n'est pas assez.*

43. **Il n'est point**, the poetical form for *il n'y a point*, to avoid the hiatus.

46. **par là**, *thereby, in that way.*

49. **Il lui feint.** *He feigns* (to her). The **lui** as indirect object of *feindre* is a Latinism; in Latin we could say "*Fingit illi*" (*thesaur(o) esse conditos*). While not permissible in prose, the expression is concise and the meaning clear. Corneille had said in *Cinna*, v. 3 : "*Euphorb(e) vous a feint que je m'étais noyé.*"

53. **hier**, a monosyllable by rule, is here a dissyllable.

57. . . . **plus j'y pense, et moins je puis douter**, *the more I think of it, the less I can doubt.* The *et* is required before *moins* in the second clause.

58. **prêt d'éclater**, for *prêt à éclater*, which is now the rule.

60. **jusqu'en son sanctuaire**, *in his very sanctuary ; jusque* means *up to, as far as, down to.* Cf. the English : They took everything *down to* (i.e. *even*) the smallest trifles. The *u* and *ai* in *sanctuaire* count as separate syllables.

61-64. The calm dignity with which Jehoiada meets the fears of Abner is worthy of remark. The idea that God rules presents itself here as is everywhere else in the piece, but the truth, in this case, comes home with peculiar force. The reply is eloquent, and yet of scriptural simplicity. Cf. Ezekiel xxxi, 15. "I restrained the floods and the great waters were stayed." Boileau cites these lines in his twelfth "*Réflexion critique*" in discussing the term "*sublime.*" He says "*. . . tout ce qu'il peut y avoir de sublime paraît rassemblé dans ces quatre vers : la grandeur de la pensée, la noblesse du sentiment, la magnificence des paroles, et l'harmonie de l'expression si heureusement terminé par ce dernier vers : Je crains Dieu . . .*" Addison has re-

marked that the thought expressed in these lines "gives no less sublim-
ty to human nature than it does to good writing."

68. **le cœur israëlite**, cf. the use of the definite article in sentences
like: *Il a les yeux noirs, les cheveux blonds.*

69, 70. **. . . Mais ce secret courroux . . .** We have here a case of
the rhetorial figure called *anacoluthon*. In prose we must say: *De ce
secret courroux, de cette oisive vertu . . .*

71. **La foi qui n'agit point, est-ce une foi sincère ? est-ce** for *est-
elle* gives emphasis to the question, although *ce* itself is not emphatic.
The line recalls the well known "Faith without works is dead."

The incisive force of the High Priest's words should be noted. They
help to impress the hearer with the earnestness of the speaker, and
thus account for and explain, in a measure, both the magnitude and
final success of his undertaking. There is nowhere a trace of mere
rhetorical display.

72. **Huit ans déjà passés**, a Latinism. It is equivalent to *Huit ans
sont déjà passés depuis que*, but also to simply *Eight years ago.* Note
that in the following line we properly render **usurpe** by *has been
usurping*, but in l. 74, where the reference is to an act distinctly past,
we must use the simple past *bathed.* By using the phrase "*Huit ans
déjà passés*," the poet was enabled to give this double turn to these
lines. The real, though not apparent hiatus, *passés, une,* is permitted
because *é* in *passés* is followed by an *s*, which, though not pronounced
satisfies the eye.

78. As to Jehoshaphat, see 2 Kings ix, 27.

84. **Voici comme**, lit., See here how, i.e. *This is the way in which . . .*

85. **que sert**, for *à quoi sert-il.* Cf. l. 816.

87. **me revient-il**, lit., What return comes to me ? i.e. *What benefit
do I derive ?* Cf. English *revenue.*

88. **Ai-je besoin**, etc. This line, and the preceding three lines, re-
call Isaiah i, 11 ; Ps. l. 13, 14.

94. **sans force — sans vertu**, repetition, by different words, of the
same meaning, a common device in Hebrew poetry. Trans., *without
vigor — without strength.*

95. **éteindre** stands here for the reflexive *s'éteindre.*

102. **les humains**, poetically for *les hommes.*

103. **L'arche sainte . . .** As to how these oracles were given is seen
in Exod. xxv, 22 ; Numb. vii, 89 ; 1 Sam. iii, 3–14.

103, 104. In **oracles** and **miracles** the *a* is long.

109. **le cours**, *the series*.

111. **Des tyrans d'Israel** ; *tyrans*, kings who obtained their throne
by force, not by virtue of birth. — **disgrâces**, here the same a
désastres.

113, 114. Cf. 1 Kings xxi; ibid. xxii, 34–38.

115–118. Cf. 2 Kings ix, 30–37.

119, 120. Cf. 1 Kings xviii, 19–40.

121–123. Cf. 1 Kings xviii, 1; Luke iv, 25. James v, 17, 18.

122. **Les cieux par lui fermés et devenus d'airain.** The parti
cipial construction is the same in this line as in the preceding lines
which offer no difficulty. The *d'* before **airain** may be rendered by
like : like brass, lit. *of brass*. — Compare 2 Kings iv, 32–36.

124. **Les morts se ranimant.** Modern French requires *se rani
mant*, because the word is clearly a present participle and therefore
invariable. In the original the word is **ranimants**, as though it were a
verbal adjective, i.e. a present participle with an adjective meaning.

125. **à ces traits éclatants**, *by these striking signs*. **trait** = feature
trait, lineament; also shaft, arrow. **éclatants** (from *éclater* to burst, to
burst forth), striking, amazing, impressive. This word furnishes a
good example of the expansive growth of words in taking on an in
creasing variety of signification.

129, 130. Cf. 2 Sam. vii, 12–16; 1 Chron. xix, 9–14; 1 Chron. xxix,
6, 7.

130. **fils** rhymes for the eye only with **promis.** The student should
pronounce the *s* in *fils*, because that is the regular pronunciation
though he may hear on the stage *fi*, which was probably the pronuncia
tion in Racine's time.

137. **aux promesses . . . ; aux** is used because *renoncer* requires
the complement *à*.

140. **jusque** cf. l. 60.

143. **s'était trompée . . .** , *had been mistaken*. This pluperfect is
here equivalent to a compound conditional : i.e. *should have been mis
taken*. Note the difference between *se tromper* and *tromper*.

144. **Si du sang de nos rois quelque goutte échappée.** The
sentence is not finished. Transl., *If some descendant of our kings,
saved by chance*, . . . (i.e. should yet exist).

151. **. . . je vis percer le père.** Note that *le père* is the object of
percer ; but translate, *I saw the father (being) pierced*. Originally such
sentences contained the word denoting the agent : *Je vis (quelqu'un)*

percer le père. Gradually the name of the agent was omitted and the sentence became an idiom requiring the agent to be separately expressed by means of a preposition. Cf. l. 675, also ll. 53 and 54.

153. **l'astre du jour,** *the "orb of day."* The use of such expressions constitutes the *"style noble"* of the tragedy. The abuse of it leads to the bombast and affectation known as *gongorism, marinism,* or *euphuism,* common in the 17th century.

155. **la troisième heure,** i.e. nine o'clock A.M., though the preceding line does not quite clearly indicate this.

156. **Retrouvez-vous,** *Be again,* or, *appear again...*

157. **pourra,** — this future answers here to *may perhaps.*

160. **Et du temple déjà l'aube blanchit le faîte,** *and the dawn already whitens the summit of the temple.* In the "Iphigenia" of Euripides (V, 156) a similar expression occurs. Racine may have imitated this, or else Virgil's "Regina ex speculis ut primum *albescere lucem vidit*" (Aen. iv, 586): "when the queen from her outlook first saw the light whiten," i.e. grow white. The latter is probably also the meaning of the λευκαίνει of Euripides. In that case Racine's expression differs from both.

163. **Je sors et vais,** for *Je sors et je vais...*

164. With these lines ends the exposition proper of the tragedy, though the next scene, which tells of young Joash, may be considered a necessary part of the exposition. The first twenty-four lines have, as La Harpe has pointed out, made us acquainted with the characters of Athalie and of Joad, the day of the action and the place of the scene. The remainder of the scene presents the other essential elements and characters that enter into the problem.

166. **votre heureux larcin ne se peut plus celer,** lit., *your fortunate theft* (i.e. the fact that you rescued Joash by stealth) *can be no longer concealed.* The reflexive form is often found where in English the passive would be used. The *se* belongs of course to **celer.** As to *larcin* cf. Engl. *larceny.*

168. **Abusant contre lui de ce profond silence...,** *taking advantage, in their opposition to him* (i.e. to God), *of this long silence.*

169. **Accuse ... d'erreur,** *denounces as erroneous;* or, rather, *has been denouncing.* The present tense is used in French whenever the time of the act or condition expressed by the verb *includes the moment when the remark is uttered.* Cf. l. 73, "*usurpe.*"

170. **Le succès animant leur fureur...** *Success spurring on their*

fury... The construction would not be proper in prose, because the subject of the participial phrase and the subject of the principal sentence should be the same. Here they are different.

174. **sous l'aile,** lit. " under the wing," symbolical for protection; transl., *under the protection* ...

182: **Eliacin,** *Eliakim.* The name is found in the Bible, but not as given to young Joash.— **encor** for *encore* on account of the meter.

185. **. . . je l'avais su tirer.** The forms of *savoir* with an infinitive express the idea, "to know how," or "to be able"; trans., *I had been able to draw him.*

187. **s'étonne** ... here stronger than " wonder; " transl., *is frightened.*

189. **Du jour que** for *Depuis le jour que.*

193. **De peur qu'en le voyant quelque trouble indiscrète. . .** *From fear that, on seeing him, some inopportune embarrassment...* The delicacy and tenderness of Josheba's feelings appear in these lines. Note how these different touches gradually bring before us a graphic picture of the person, and how they all combine to give us a vivid sense of the situation.

196. **Consacrer ces trois jours** ... It was a custom of the Jews to prepare themselves by prayers and acts of penitence for any important event or undertaking. Thus Esther, before entering on the delivery of her people, spent three days in fasting and prayer.

200. Construe: *A-t-il fait serment de se rendre près de son roi?*

201. **. . . s'assurer sur,** for *se fier à, to trust in.*

207. **opposer contre,** *contre* for *à,* which is the regular but less forcible complementary preposition of **opposer.**

210. In prose " **leur nombre assemblé** " is not good French. Construe: *Je sais que leur nombre assemblé près de vous en secret est redoublé par vos soins prévoyants.*

212. According to Josephus (Antiq. IX, 7), Jehoïada received oaths from the priests and Levites.

214. **Mais, quelque noble ardeur dont ils puissent brûler** ... In prose this ought to be: *De quelque noble ardeur qu'ils puissent brûler* ... Trans., *With whatever noble fervor they may be imbued* ...

215. **querelle** (Lat. querela), *cause.* Shakespeare uses *quarrel* in the same sense. Cf. K. Henry, Part III, Act III, Sc. 2, l. 6: " Because in quarrel of the house of York ..."; also Henry V, Act IV, 1, 133. Cf. also Mark vi, 19.

216. . . . **est-ce assez de leur zèle,** i.e. " as regards their zeal, is that enough?" Trans., *Is their zeal all that is needed?*

217. **semé,** trans., *spread,* or *scattered.*

219. . . . **de ses fiers Tyriens,** i.e. her Tyrian soldiery —*fier* from *ferus* (wild, rude, savage), hence a word of one syllable. In this connection *fiers* recalls its original meaning; ordinarily, it means *haughty, proud.*

221. . . . **suffira-t-il de** Cf. **est-ce assez de** (l. 216).

226. Note the fine contrast of Jehoïada's manly words with Josheba's womanly fears.

229. See 2 Kings ix. Jezraël, a city in Samaria.

232. **A jusque sur son fils poursuivi leur famille.** Trans., *has pursued their family* (i.e. the descendants of Achab and Jezabel) *down to his* (i.e. Joram's) *son* (i.e. **Ochozias** = *Ahaziah*).

233. . . . **pour un temps suspendu;** —*suspendu* qualifies *le bras vengeur.*

237. . . . **par leur crime entraîné,** *involved in their crime.* Note, however, the force of *entraîné* which *involved* does not quite express.

240. **En faveur de David,** *for the sake of David* — so only poetically.

248. **éperdu,** *terror-struck, distracted.*

252. . . . **l'usage du sentiment,** the use of feeling, i.e. *consciousness.*

253. **soit frayeur ou** . . . *either from fright or* . . . In this case, as in many other cases, Racine uses concise constructions, in imitation of Latin forms, which cannot always be imitated in prose, but generally give greater point and energy to the poetic expression.

261. **Si la chair et le sang se troublant** . . . *If flesh and blood, giving way to anxiety* . . . **se troubler :** *to become confused, to come under the influence of fear,* etc.

262. Pronounce **part aux pleurs,** *paraux pleurs.* . .

267. **recherche,** *seeks out,* stronger than chercher; here: *visits.* Cf. Ezech : xviii, 19, 20.

269. **Tout ce qui reste encore de fidèles Hébreux viendront** . . . In this sentence the grammatical subject is followed by a verb in the singular, the logical by a verb in the plural. Cf. Note 1, page 1, " Préface de l'Auteur."

271, 272. . . . **autant** . . . **autant.** Transl., *as much . . . so much.* .

279. **qui se souvienne.** Subjunctive of anticipation.

282. Construe : *a rallumé le flambeau de David éteint* ..; trans.

... *has rekindled the splendor* (the vital flame?) *of the* (apparently)
extinct race of David.

284. ... **il doive,** dependent on **si tu prévois que** ..., subjunctive
required by the condition. — **en naissant,** *in the bud;* lit., in the act
of being born, of entering existence.

289. **Fais!** (imperative like the Latin *Fac!*) make! grant!

291. **Dans ses conseils** for *dans ses résolutions;* trans., *in her designs.*
The language of Jehoïada, from l. 266 to l. 294, is finely in keeping with
his character as High Priest. The intensity of his feelings, due to a
profound appreciation of the importance of the situation, finds vent in
eloquent words without degenerating in the least into mere declamation. The facts to which he refers are so real for him that their mere
enumeration suffices to raise his feelings to the highest pitch. This
becomes particularly apparent in the lines beginning with *Grand
Dieu! si tu prévois* ... (l. 283) and ending with the fervent appeal
in lines 290–294. Compare with this invocation the prayer of Josabeth, ll. 255–264.

299. **O filles de Lévi** ... In making the chorus to consist of young
girls the poet had evidently in mind the young ladies of *Saint-Cyr*
(the school founded and protected by Madame *de Maintenon*), who
were to present the piece before her and the King. Words similar to
those in the text have been used by Madame de Maintenon in reference
to her *protégées,* to whom she seems to have been deeply attached.
We quote this remark from one of her letters: " *Puisse Saint-Cyr
durer autant que la France, et la France autant que le monde! Rien
ne m'est plus cher que mes enfants de Saint-Cyr; j'en aime tout,
jusqu'à leur poussière.* " Saint-Cyr is now a military school; a sort
of " West Point."

303. **Ces festons** ... We read in the *Judith* of Boyer, a now forgotten rival of Racine: " *Les lampes dans leurs mains, et les fleurs sur
leurs têtes.* "

SCÈNE IV. — LE CHŒUR.

Racine was not the first to make use of the chorus, in imitation of the
Greek custom, in a French tragedy. In the sixteenth century, Jodelle
(1532–1573) and Garnier (1545–1590), had already made the attempt.
In the " Préface de l'Auteur " Racine has given a brief statement of the
composition of this chorus in *Athalie.* In the Greek drama, the
chorus had a leader called " corypheus," who would give utterance, in a

poetical form, to moral and other reflections on the matter of the drama while the stage was left unoccupied by the actors. The office of this leader, in *Athalie*, the poet assigned to Salomith, represented in the play as the sister of Zechariah. As the scriptures mention the fact that there were both male and female singers present at the festivals held in the temple, the poet kept within the limits of probability when he introduced this chorus of young girls of the tribe of Levi. (Cf. note 7, page 5 of *Préface de l'auteur*.) The beauty of the verses put into the mouths of this chorus has been justly admired. The poetry is throughout lyrical, often profoundly pathetic, always apposite and more or less closely connected with the regular action of the drama. There is great variety of meter; form and thought being appropriately combined so as to produce a most harmonious effect. We may note in this connection that Boïeldieu, Mendelssohn and other composers have written excellent music for the choruses and other parts of *Athalie*.

311. magnificence, *glory*. In translating these lyrical passages care must be taken not to assume that the word nearest the French in spelling is therefore the nearest in meaning.

314. . . . ses bienfaits, *his blessings*.

318. Cf. Ps. xix, 3.

322. . . . leur aimable peinture, *their lovely colors*.

332. Mont de Sinaï, the *de* is generally omitted after *mont*. It is used after *la montagne*.

346. amour éternelle, for *amour éternel*. The feminine gender was used poetically for this word in the seventeenth century.

353. . . . il se donne lui-même, apparently a reference to Christ, which would here constitute an anachronism. The meaning may be that God, by giving his law to the Israelites and by constantly speaking to them through their prophets, had given Himself.

ACTE II.

Note that Josheba appears and speaks while the chorus is yet on the stage.

379. quel sujet, *what cause*.

389. Debout à ses côtés. "Standing at his sides" has an awkward look in English. Note that *debout* is a very general term, and that it does not exclude the idea of moving from one side to the other. Trans., *at his side*.

391. **cependant** stands here for *pendant ce temps*.

392. This is a mistake. Although once done by Moses (see Exodus xxiv), it was before the rites had been established. For these rites, see Levit. viii, 32.

395. The *enjambement* (see Introduction, p. xxi), leaving the sentence in the following line unfinished, was permitted when there was a sudden interruption, as in this case.

397. **parvis**, *fore-courts ;* here, *courts* of the inner temple.

400. **aux seuls lévites**, *only to the Levites.* The position of **seuls** should be noted. It is due to differentiation. An adjective used in its strictly literal sense always follows its noun ; used in any other sense it precedes. This general rule may suffer rare exceptions. (Cf. l. 25.)

401. **de toutes parts**, *in every direction*.

402, 403. The intended sense is : Moses appeared less formidable to Pharaoh than my father appeared to the queen.

405. **D'où te bannit . . .** for *bannissent*, there being two different nouns as subject, *sexe* and *impiété*.

415. **Quoi donc ! donc** not translated ; it merely adds emphasis to the *Quoi*, and is expressed by stress of voice conveying the idea of mingled anxiety and surprise.

418. **enveloppés**, agreeing with the object (**nous**), which precedes *surrounded*.

421. **Ah ! de nos bras**, (depending on *arracher*) instead of the more usual *à nos bras*. Evidently the **Ah !** before the preposition determined the poet to use *de*.

423. We may supply : *nous est déjà arraché*.

426. **. . . seraient-ils . . .,** *can it be that they are . . .*

427. **Aurait-il . . .** See preceding note.

429. **il la faut éviter**, for *il faut l'éviter*, which would leave the line too short by one syllable. The form in the text was quite common in Racine's time.

435. **trouble** = *anxiety, fear*.

436. **Fais dire à Mathan.** *Send word to Mattan.*—**qu'il vienne**, subjunctive of command which is implied in *fais dire*.

437. **Heureuse . . .,** elliptical, for *je serai heureuse*.

439. **défendre** means both to *defend* and to *forbid ;* here the former.

440. **n'a point dû**, as we cannot say " has not ought," we translate *ought not to have ;* but the student should note that this difference

between the French and English equivalents arises simply because *ought* has ceased to be a past participle.

445. **défendit**, *forbade.* Cf. l. 439.

446. **tout autre** = *any other.*

447. That is, the wife of King Joram, the mother of King Ahaziah.

450. **votre Máthan.** Note the contemptuous "votre."

452. **Laissons-là.** *Let us not mind, never mind.* Cf. l. 1739.

457. **le cœur noble**, cf. l. 38. — **à la fois**, *at the same time.*

459. **Est-ce ici votre place**; about this *ce*, cf. l. 71.

462. **De** is the complement of *approcher.*

467. **ce que j'ai fait . . . j'ai cru le devoir faire**, lit., that which I have done . . . I have believed to be under obligation (to owe) to do; trans., *I thought it was my duty to do.* Note that **le** in the principal sentence resumes the object already expressed in what precedes, and that in this way such an inversion becomes possible in French.

469. **Quoi que**, in two words: *no matter what*, or *whatever.*

471. Neither Josephus nor the Bible speaks of these **éclatants succès** (*brilliant achievements*).

472. The two seas are the Mediterranean and the Red Sea.

476. **de vos rois**, i.e. of the race of David. This expression makes us realize that Athaliah is a foreigner — an important trait.

477. **Le Syrien**, i.e. *le roi de Syrie.*

486. **mes prospérités.** The plural is used to avoid hiatus with the following word.

492. **parée.** See Kings ix, 30.

495. **dont elle eut soin de**, *with which she took pains to.*

496. **outrage**, here, *the ravages of time*, shown in wrinkles and other signs of age.

498. **. . . l'emporte sur**, *is victorious over.* *L'emporter*, lit. to bear or carry off something, — for instance, the prize, the victory, — came to mean simply to "conquer," "overcome." **Juif** is a word of one syllable, contrary to the rule.

499. **Je te plains**, (transitively) *I pity you.* (*Se plaindre* is *to complain.*)

500. **Ma fille . . .** This is a case of what would be called a "romantic" use of the *enjambement* (or *overflow*), if Racine had been a contemporary of Victor Hugo. It is one of the many instances which prove that there is very little new in the so-called "romantic" Alexandrine.

509. **Tel que,** *as* or *just as.*

The original has *Tels que,* which is a Latinism that has not been adopted by any other French author. In Latin *quales* would make a natural connection, and this construction must have been in Racine's mind. The *Académie* corrected: "Il faut **Tel** au singulier, ou dire *Tels on voit.*" One would expect the conjunction to refer to *robe,* but *Tels* could only refer to *prêtres.* If we were to read *Tels on voit,* we should have, as Gérusez (*Athalie,* Paris, 1889, page 41) has pointed out, an *epic form,* but in that case the past participle *revêtus* could have no place in the sentence. P. Longueville, in his *Édition classique* (Paris, Delalain frères), has *Tel que.* The same is true of the Paris edition of *Athalie* in the "Librairie Classique d'Eugène Belin." In an edition for school use, this would seem to be the proper course.

518. . . . **vapeur,** during the seventeenth century, an attack of illness that affected the head; in modern parlance, *a nervous attack, a fit of nervousness.*

520. **idée,** here in the Greek sense of *apparition, vision.*

521. . . . **se sont vu retracer,** a free use of the reflexive form applied to two verbs in close relation with each other, when it belongs only to one. The phrase stands for *ont vu se retracer, se* being the indirect object, "to themselves," i.e. the eyes. Trans., *have twice seen the same child assuming shape before them.*

526. **Que ne peut la frayeur . . .** *What cannot fright* (*accomplish*), probably suggested by Virgil's lines: . . . quid non mortalia pectora cogis, Auri sacra fames! "To what dost thou not urge on mortal hearts, thou horrible greed for gold." Aen. III, 57.

530. . . . **quel qu'il soit,** *whoever he may be.* — **en** i.e. *des présents, by* or *on account of these presents.* The superstitious fear of the idolatrous queen is strongly characterized by these words.

This dream of Athalie, and the recital of what follows, are singularly impressive. The belief in the significance of dreams was universal. As the recital goes on, we realize the consternation, not only of the queen, but also of her listeners. There is an awful suggestiveness in all this, as of an approaching doom. And yet the horror of the picture is brilliantly relieved by the allusion to the radiant figure of young Joash, the child *couvert d'une robe éclatante,* whose *douceur* and *air noble et modeste* compel her admiration. We cannot but be struck, also, by the consummate art of the poet, who uses this scene to furnish the motive for the queen's otherwise inexplicable appearance in the Jewish temple.

The queen was horror-struck, confused, overwhelmed with indefinite fears. In this state of mind she obeyed the impulse of the moment and entered the temple. We thus see that the dream and its recital are essential elements of the drama, not a mere *hors d'œuvre.*

537. **son même air,** *his very mien,* look, countenance.

540. **à ma vue,** *from my sight.* The **à** depends on the verbs **faire disparaître,** here equivalent to *ôter, arracher,* which require *à.* Note that the sight of the child has the effect of precipitating the catastrophe for Athalie. That she saw the child was due to her dream, hence the importance of that dream. No doubt Shakespeare would have treated this differently. Very likely he would have put the meeting on the stage so that we could have watched the effect of the appearance of the child on the queen. But would the result have been more impressive? We witness the effect of the queen's recital on Mattan and Abner; we tremble for the fate of the child when we hear the words of the former; we hope for his safety when we listen to the pleadings of the latter. And, finally, the queen's forcing an interview with the interesting object of her fears leads to a scene which is almost unrivalled in dramatic art, and which Shakespeare would not have disowned.

544. **Ce songe et ce rapport . . . rapport** = *relation, connection,* i.e. with Eliacin.

545. **fatal,** i.e. under the influence of fate; hence, *that portends evil.*

546. **Quel est-il,** for *Qui est-il,* forbidden by the hiatus.

550. **Il se faut assurer** = *il faut s'assurer de, both must be secured* (taken into custody).

551. **mesures,** for *modération.*

553. **la seule équité,** *fairness alone,* nothing but fairness. Cf. l. 400, also l. 25.

562. **Quel il est** for *Qui il est.* Cf. l. 546.— **On le craint, tout est examiné,** "We fear him, no further investigation is necessary." Exactly the argument that Napoleon I used in reference to suspected characters, for instance the Duke of Enghien. The expression has often been quoted, as also l. 570. The latter was particularly applicable during the 'reign of terror.'

566. **un sang vil,** *the blood of a low-born wretch.*

569. **gêner,** here *embarrass* or *hamper.*

575. **entrailles de père,** *a father's feelings.* Cf. "bowels of compassion" and Phil. ii, 1. ". . . bowels and mercies."

602. **dans tout son jour mettre la vérité,** lit., present the truth in its proper light; trans., *set forth the truth as it is.*

605. **a devancé le jour,** lit., has outstripped daylight; trans., *came before dawn.*

606. **ses rois,** i.e. of the race of David.

608. **dont le ciel,** of course not a genitive, but the same as *de qui.* Trans., *by whom heaven...*

612. **un enfant est peu propre,** trans., *is not likely to,* — lit., *is* not fit; *peu* having frequently the force of a negation. — **trahir,** here, *disguise.*

615. **sans jeter d'alarmes;** as *sans* implies a negative, *de* without an article expresses the partitive idea.

616. **à tous mes Tyriens** ... Note that this phrase depends on **faites.** Cf. l. 1691.

619. **assurez-vous,** for the modern *rassurez-vous;* trans., *feel no anxiety* (calm yourself).

630. Cf. l. 775.

633. **j'ai nom,** a Latinism (*nomen habeo*).

638. **Depuis que je suis né.** Speaking of living persons the perfect of this verb is proper; in regard to dead persons the preterite should be used; e.g., "Victor Hugo naquit en 1802."

641. **Vous a fait rencontrer,** *has caused you to be found.* Cf. l. 151, note.

646–650. Note the scriptural beauty of these lines emphasizing the idea of the fatherhood of God in language appropriate to a child, and yet also of universal application.

653. **font succéder à;** note that this *à* is the necessary complement of the verb; hence this case differs from l. 616. Trans. ... *cause my hostility to be followed* (by).

654. **Je serais sensible,** cf. ll. 588, 710.

This conversation between the queen and the child may have been suggested by a somewhat similar scene in the *Ion* of Euripides. Cf. *Euripides,* translated by R. Potter, vol. 1, pp. 71–77, ll. 230–394. A comparison will leave intact the claim of Racine to substantial originality.

659. **sa fortune,** i.e., the gifts or vicissitudes of fortune; trans., *his history.*

674. ... **ou l'encens ou le sel.** Salt was an important article in many sacrificial rites of the Jews. Compare Levit. ii, 13: " And every oblation of thy meat offering shalt thou season with salt; neither

shalt thou suffer the salt of the covenant of thy God to be lacking from thy meat offering: with all thine offerings thou shalt offer salt." The symbolical meaning of salt appears in Mark ix, 49, 50, also 2d Kings ii, 20, 21.

675. **J'entends chanter . . . ,** *I hear singing* (going on). In such sentences the agent is understood. Cf. I hear (some one) singing. Cf. l. 151.

682. **Vous ne le priez point.** The verb *prier* takes the direct object of the person. Trans., *you do not pray to him.*

683. **en,** idiomatic reference to an antecedent even when there is none expressed. Here it could stand only for *des dieux.*

693. **je suis reine et n'ai point,** for *je n'ai point.* Cf. l. 163.

695. **faire part de,** here, *make you share in . . .*

698. **Je prétends,** *I will* (I claim that I shall).

700. This rude answer of the child recalls Athaliah's remark, "*un enfant est peu propre à trahir sa pensée*" (l. 612). It should be borne in mind that young Joash must have frequently listened to the conversations going on in the temple, and that, all things considered, he could not help sharing the feelings of his friends in reference to this fierce enemy of their faith, who had, no doubt, been painted to him in the darkest colors.

703. **jeunesse,** here, *youths* or *children.*

705. **leur** refers to *jeunesse,* which has here a plural meaning.

708. **vous-même en faites gloire** (*vous,* subject, is omitted), *You glory in it yourself.* Cf. l. 709, **j'en fais vanité,** *I am proud of it.*

711. Note the force of this conditional and cf. ll. 426, 427, also l. 654.

711–13. For the use of the infinitive in these lines, cf. l. 151.

714. *eighty* is a poetic exaggeration, the correct number being *seventy.* Cf. 2 Kings ix, 10.

715. **. . . je ne sais quels prophètes,** *some prophets or other.*

717. **amitié,** here, *filial love.*

721, **neveux,** poetically for *descendants* in general. Cf. Latin *nepotes.*

722. **d'Achab les restes,** *the remaining descendants of Ahab.*

729. **les fils de ce roi,** *the descendants,* or *scions, of this king.*

731. **Tout vous a réussi.** The earlier editions have an interrogation point after *réussi.* The question would be ironical, but does not seem to be justified by the context.

733. **Que deviendra l'effet . . .** , *what will become of the effect . . .* It stands for *Quel sera l'effet ?*

734. **Qu'il vous donne . . .** , a concessive imperative. *Let him giv you*, etc.

736, 737. Note the pregnant force of these two lines, particularly o the concluding: **J'ai voulu voir ; j'ai vu.** The language is that of queen, but of a queen like Athaliah.

It will hardly be believed that the earlier actors of the play insiste on a change of the language of these lines, stating that it was not in telligible (Abbé Nadal's *Œuvres mêlées*, Tome II).

738. **le dépôt,** *the trust*, the object entrusted to my carĕ.

749. **un sang pur,** an animal whose blood was pure according to th Jewish law. Cf. l. 566.

750. **jusques au marbre.** The *s* in *jusques* is added for the metĕr.— **où ses pas ont touché.** The verb is *toucher à*, meaning *to reach to, t come in contact with;* où stands for *auquel.* Cf. the sentence, *Pou vez-vous toucher au gaz ?* Can you reach (up to) the gas?

This method of purification was prescribed by the Jewish ritual.

In Scene IX, the chorus appears at the moment when Jehoïada leave the scene. The series of lyrical passages recited by different member of the Chorus is a poetical commentary on thĕ events of the dram thus far presented; but the principal theme is again the God of Israe The references to the " wonderful child " are suggestive and full of mysterious promise. The passages which speak of the fate of the cit of David, of " dear Zion," are pathetic in a high degree. The fate c the wicked is vividly portrayed, the reward of the just confidently fore told. The student should give attention to the varying meters of th different stanzas, and, if possible, train his ear to the subtle charm c the artistic form of this exquisite poetry.

754, 755.   **Et ne se laisse point séduire**
                               A tous ses attraits périlleux.

If we take *à tous ses attraits . . .* to mean "*by* its perilous attractions there would be no difficulty in the passage. But *à* is more probabl due to a felt influence of the literal meaning of *séduire*, " to lead away. A recent editor of *Athalie*, Director Albert Benecke of Berlin, inclin to the view that the construction is similar to that of *faire faire que quechose à quelqu'un*, in which case *à tous ses attraits* would be obje (indirect) of *laisse.* Cf. l. 616. The difficulty is in the *se* before *laiss* Cf. also l. 1691.

759. Dieu lui seul, the *lui* is redundant.

767. Puisses-tu . . ., optative subjunctive, *may you!*

775. n'altère point. Cf. l. 630. The verb *altérer* means to change into something inferior ("changer l'état d'une chose de bien en mal," says the "Académie").

778. Tel en un secret vallon, trans. *Tel* by *thus.*

779. . . . d'une onde pure, *of a clear brook.*

781. l'amour . . ., *the delight, favorite.* — **un jeune lis** (pronounce *eess*). Cf. Hosea xiv, 6, 7 : " and he shall grow up as the lily."

This stanza is an adaptation, modified by Biblical influence, of the graceful lines of Catullus (*Carmen Nupt.* lxii, 46, 50) :

> " Ut flos in septis secretus nascitur hortis,
> Ignotus pecori, nullo convulsus aratro,
> Quem mulcent aurae, firmat sol, educat imber.
> Multi illum pueri, multae optavere puellae,"

thus rendered into French by Eugène Rostand :

> " Quand la fleur, aux jardins clos, à l'écart, est née,
> Loin des troupeaux, des socs, le vent vient la baiser,
> Le soleil l'affermir, l'eau du ciel l'arroser :
> Filles, garçons, plus d'un la convoite et l'admire."
>
> *Les Poésies de Catulle.* Paris, 1882, vol. I, p. 169.

788, 789. The **qu'** of l. 788 goes with **à pas incertains** of l. 789. Trans., *with what uncertain steps. Que* in such expressions stands for *comme,* "how."

805. où for *dans lesquels.* In the seventeenth century this *où* was quite regularly used in such cases.

810–815. Combien de temps, Seigneur . ., It is thought that these pathetic lines were first suggested to the poet by the unmerited suffering of his friends of Port-Royal under the relentless persecution of the governing party, the Jesuits. Cf. Ps. lxxviii, 10; Ps. xli, 4.

816. Que vous sert, for *à quoi vous sert: Of what benefit is this virtue to you.* — **sauvage,** *shy* of human society.

822. Promenons, *let us allow (our desires) to roam.*

823. insensé qui se fie (*sur l'avenir*). Both the position of *insensé* and the use of the idiomatic **qui,** equivalent to *celui qui* (or to *quiconque,* whoever), make this expression very energetic.

824, 825. See Is. xxii, 13.

825. si nous serons . . ., *si* followed by a future or conditional has the force of " whether."

827. **Qu'ils pleurent**, absolute imperative.

839. **Ils boiront dans**, *They will drink out of* (or *from*). See P
lxxv, 8.

ACTE III.

Here again we notice that no interruption of the play takes plac
The Chorus does not leave the scene until Mattan and Nabal ha
made their appearance.

845, 846. **Josabeth** and **secret** rhyme only for the eye.

848. **tout se disperse**, *all scatter*. Note that the neuter singul
tout is used like a collective substantive.

850. **gardez-vous** = *prenez garde de*, *take care not to*.

856. **en ce devoir**, for *de ce devoir*, as *de* would give one syllable t
many for this line, because the *e* of *mère* would then count as a f
syllable.

858. **C'est votre illustre mère à qui**, for *c'est à votre illustre mè
que*.

869. **Qui** is here equivalent to *Qu'est-ce qui? What?* In this sen
qui is occasionally found also in modern writers. Cf. Hugo's *Hernan
l. 1789*; *Ruy Blas*, l. 947.

870. **je ne la connais plus.** The present tense, because the stat
ment includes the moment when it is made. Cf. l. 169. Trans.,
has been an enigma to me.

873. **surpris**, lit., "taken by surprise;" **surpris** may here be render
as if *en les surprenant*.

876. Cf. Virg. Aen. IV, 569. *Varium et mutabile semper femin
"woman is ever fickle and changeable."*

877. **tantôt**, *a little while ago*, or *but recently*.

880. **en diligence**, *promptly*.

881. **mais, soit que . . .**, *but either because . . .; l. 884, s
qu'elle . . . or because she . . .* Cf. l. 253.

882. **rebut . . . de ses parents**, *a wretched waif abandoned by
parents*.

884. **je ne sais quel . . .** Cf. l. 715.

891. **aux Juifs**, object of **fait**, while *le* before **fait** is object of
tendre; lit., "makes the Jews expect him." Cf. ll. 151, 616, 907.

903. **enseveli sous l'herbe**, lit., buried under the grass (wh
would grow on the ruins).

907. **Tu lui verras subir la mort.** The use of the presen

to be accounted for in the same manner as the use of *à* before an object noun when two objects depend on a verb like *laisser* or *faire* with an infinitive.   Cf. ll. 151, 616, 891.

925. The Bible does not say that Mattan was a renegade.

927. **Qu'est-il besoin.**   *Que*, here, *Why?*

929. **l'encensoir**, i.e. the golden censer used in the Holy of Holies by the High Priest.

934. **ériger en oracle,** *to set up as an oracle.*

937. **Près de leurs passions,** *when their passions were concerned.*

949. Note the **en,** *thereat.*   Trans., *at this sent up to heaven a frightful cry.*

954. **Je ceignis la tiare,** *I put on the tiara.*   In Winer's *Biblisches Realwörterbuch* (Vienna, 1847), the *tiara* is described as follows : " On his head the High Priest wore a turban which was considered a principal part of his dress.   This turban was double, consisting of the turban of the ordinary priests and a purple one which enveloped it.   In front, a thin gold plate (Zīz) was fastened by means of a purple cord, which contained an engraved inscription signifying 'Holiness of Jehovah.'" — **et marchai son égal,** lit., "and walked (as) his equal," in imitation of the words of Juno in Aeneid I, 46 : Ast ego quae divum incedo regina!   "But I who walk as the queen of Gods."   Littré (*Dictionnaire*) quotes Racine's words in proof of the following remark : "*Dans le style élevé, il* (i.e. the verb *marcher*) *n'est quelquefois qu'une forme emphatique du verbe être.*"   "*And now stood as his equal*" may, perhaps, answer as an analogous English form.

960. Trans., (*If*) *I can in the end prove that his hatred is powerless,* or *inefficient;* **convaincre de,** lit., to convict of.   Note the energy of the term.

961. **le débris,** for *les débris.*   *Le débris* is used only in some particular expression, like " *le débris de sa fortune.*"

962. **à force d'attentats,** *by dint of crimes* (generally, against persons in authority).

The manner in which Mattan reveals, to an inferior, the utter infamy of his conduct and character is open to serious objection.   It lacks the air of probability.   On the other hand, we must admit that the poet gives us in these confessions of the false priest a striking picture of a man devoured by envy, devoid of conscience, and ready for any crime in furtherance of his ambitious purposes.   We thus understand what influences acted on Athaliah, in addition to those already indicated.

The motives of her conduct more clearly appear, and the whole action
gains in interest.

975. **Sans ombrage,** *without fear,* — lit., suspicion. The expression
is not good French in prose.

985. **douter de,** used by poetical license for *hésiter.*

987. **J'admirais si.** Gérusez regards this as a Latinism, the imperfect standing for a compound conditional: *j'aurais été surprise si.* In
this he is probably correct, though a literal translation gives also a
plausible meaning.

1008. **. . . sa race,** *his descent, origin.* Note how in this conversation the astuteness of Mattan, boldly counting on Josabeth's respect for
truth, finds its match in the latter's feminine instinct and tact. Cf. ll
260, 261, also 191, 194. In the moment of peril, she rises superior to
her fears, and, without violating the truth, meets adroitly and ef-
fectively the manœuvres of the crafty priest.

1016. **chaire empestée.** Racine formed this expression in analogy
with the vulgate rendering of Ps. i, 1. "Beatus vir qui . . . in *cathe-
dra pestilentiae* non sedit," i.e. "Blessed is the man who does not sit in
the seat of pestilence" (heresy being meant).

1023. **des feux.** The latter is the logical, **il** the grammatical subject. Trans., *that flames will blaze forth.*

1031. **que . . . de sinistre,** construed like adverbs of quantity with
de. Lit., What of sinister; trans., *what direful news* (or *command*).

1033. Cf. l. 891.

1037. See Numbers xvi; 1 Sam. xxii, 18; 1 Sam. xvii, 23.

1039. **attendant que** followed by the subjunctive, which is required
because the result is uncertain. Cf. *J'attends qu'il vienne,* (but he may
not come).

1042. **. . . où vous égarez-vous ?** Mattan is so excited and em-
barrassed that he goes the wrong way.

1044. **. . . l'orage se déclare,** *the storm is about to burst forth.*

1059. **Je sais une secrète issue,** i.e. *I know where it is;* hence, sa-
voir is the proper verb.

1061. The brook *Kedron,* East of Jerusalem, flows into the Dead
Sea. Beyond it is the desert Engaddi.

1064. Cf. Sam. xv, 23.

1065. **ours,** the *s* pronounced. The rhyme is for the eye only.

1067. **je vous ouvre . . ,,** *I lay before you.* This unusual use of *ou* *vrir* is found also in Molière's *Ecole des femmes,* iii, 4: "ouvrir un moyen."

1069. Supply *encore,* "still," after *aujourd'hui,* for the translation.

1071. **n'a point un cœur farouche,** for *n'a pas le cœur.* Pronounce the *x* in **exorable** *gz.*

1072. **favorable à ses yeux** is not good French; it is permissible only by poetic license. Trans., *pleasant in his sight.*

1083. . . . **sa sagesse,** i.e. *the wisdom of God,* subject of **avait.**

1088. See 2 Kings x, 29.

1089. After the building of the temple in Jerusalem, all religious exercises on the "high places," i.e. mountains, were forbidden. Note that the name of *Jéhu* is used four times in succession. It seems as though the speaker were giving vent to a long suppressed but profound irritation against this King.

1093. **qu'il nous faut attacher.** Cf. l. 429.

1101. **sacrés parvis,** *sacred courts.* Cf. l. 397.

1102. . . . **tout a fui.** Cf. l. 848. Cf. also, Introduction, page xxi (versification).

1105. **à** belongs to **échappé** as its complement; trans., *from.*

1109. **Mais qui** . . . Cf. l. 869. Trans., *What* . . .

1114. **Jahel,** *Jahel.* Cf. Judges iv, 17–22.

1124. **Ils ne s'assurent point en,** *they do not put their confidence in.* Cf. 201.

1127. 2 Chron. xxxiii, 7. "In this house, and in Jerusalem, which I have chosen before all the tribes of Israel, will I put my name forever."

1130–34. Cf. what the poet says in the Preface in justification of this fit of prophecy (*Préface de l'auteur,* p. 6).

1134. **ses mouvements,** i.e. *de l'esprit divin* (see l. 1130).—**la symphonie,** the playing together = *the accompaniment.*

1135–38. Deut. xxxii, 2. "My doctrine shall drop as the rain, my speech shall distil as the dew, as the small rain upon the tender herb, and as the showers upon the grass."

1139. **Cieux, écoutez** . . . Cf. Is. i, 2.

1141. Note the solemn effect produced by the rhyme three times repeated. Cf. Ps. ciii, 35; lxvii 2, 3; lxxvii, 65.

1143. . . . **ce pontife égorgé,** i.e. *Zechariah.* Cf. 2 Chron. xxiv, 22.

1148, 1149. **Où menez-vous** . . . The reference is to the Babylonian captivity.

1151. Is. i, 14.

1152. **Cèdres . . .**, i.e. the cedars used in the construction of the temple. Trans., *Cedars, burst into flames!*

1156. Jer. ix, 1. Note with what respect for the sacred record the poet has composed this majestic prophecy. The same respect and carefulness are plainly visible in the following verses, unsurpassed in their finished beauty and magnificent pathos.

1159. Rev. xxi, 2; Song of Sol. iii, 6.

1165. **Ces enfans . . .**, i.e. the children of the heathen.

1166. Cf. Is. lx, 1 : " Arise, shine; for thy light is come, and the glory of the Lord is risen upon thee."

1168. **. . . des nations . . .** The Vulgate, and also the English Bible, use this term to denote the heathen.

1173. Is. xlv, 8 : " Drop down, ye heavens, from above, and let the skies pour down righteousness." There is only one opinion as to the surpassing beauty and grandeur of this poetry. Marmontel said : " Nous n'avons rien dans notre langue qui approche de ce morceau dans le genre lyrique." Chateaubriand, in his *Itinéraire de Paris à Jerusalem*, wrote : " The pen drops from my hands; one feels ashamed to still waste ink on paper after a man has written such verses." It is more particularly in reference to this grand scene that the following remark of Sainte-Beuve applies : " Le vrai Joas de la pièce, à ce moment sublime où elle se transfigure, le Joas du lointain et de l'espérance immortelle, le flambeau rallumé de David éteint (l. 282); l'enfant sauveur échappé au glaive, *c'est le Christ !*" (*Port-Royal*, VI, 150.) Also this : " Le temple juif vu par l'œil chrétien, le culte juif attendri par l'idée chrétienne si abondamment semée aux détails de la pièce et qui se dévoile en face à ce moment, voilà bien le sens d'*Athalie*" (*ibid.*).

1190. **en ce jour**, i.e. the day of Pentecost. Cf. ll. 5–11.

1195–1204. These lines were omitted in the edition of 1691, but they appeared in the edition of 1692, and in all subsequent editions. Some have thought that the omission was due to the fear of giving offence to the king, forgetting that the ll. 1385–1402, which appeared in the first edition, were far more directly applicable to the king, and therefore much more likely to give offence. It is not impossible that Louis XIV resented the bold language of the poet. By the king's order, the play was forbidden to be repeated, after a few representations at court; but this is not conclusive proof.

ACTE IV.

1240. **glaive,** poetical for *épée,* the symbol of power. — **qui marche,**
i.e. leads the procession in the hands of the Levite who bore it.

1253. **gardez,** supply *vous.* Cf. *prenez garde de.*

1260. Judges xi, 30, 39.

1263. **voici qui vous dira,** i.e. *celui qui vous dira.*

1267. The final *s* in **tous** (pronoun) is pronounced, at least in prose.
On the stage the word may be heard pronounced so as to rhyme with
its corresponding rhyme.

1274. **prêt de,** now *prêt à.*

1290. **Puisse périr** . . . recalls l. 7, p. 3. Homer's *Odyss.* I.,
Buckley's translation: "So too may another perish who perpetrates
such deeds."

1299. **avec la même ardeur qu'elle,** for *avec la même ardeur avec
laquelle elle.*

1301. . . . **s'attache,** *is intent on.*

1317. **l'atteinte** = *the fatal blow ; le coup dont on est atteint.*

1324. **quel moyen,** i.e. *quel moyen y a-t-il ?*

1326. When *Athalie* was played for the first time in a style befitting
its character, the young King Louis XV, then only seven, was present.
The audience were electrified when the lines beginning with : *Voilà donc
votre roi,* etc., were pronounced.

1336. **aux deux tribus,** i.e. *Benjamin* and *Juda.*

1339. . . . **camp nombreux,** *numerous army,* by metonymy.

1341. **au Dieu** for *en Dieu.*

1352. . . . **appareil,** here *armor.*

1363. . . . **au dieu du Nil,** *the golden calf.* Cf. Exod. xxxii, 27-29,
for this line and l. 1365.

1375. **poser,** *lay down ; le fer* = *l'épée, the sword.*

1380. **Soient au rang** . . . Note that *soient* counts as one syllable.
The line expresses with terrible energy the sense of more than one passage in the Bible as to the fate of the wicked. Cf. Ps. lxxxvii, 6.

1387-1401. These noble and bold words, which certainly express the
poet's own ideas, and for which he must have made good studies at the
court of Louis XIV, appeared in all editions, including that of 1691.
(Cf. remark on ll. 1195-1204.) They were written at a time when the
king, anxious to conciliate the church and to gain forgiveness for a
life spent in gross debauch, heaped untold misery on many thousands

of his subjects who would not conform to the requirements of the ruling church, and of the ruling party, the Jesuits, in that church. Almost a hundred years later, the *Mémoires* of Condorcet speak of the report of a *sergent de police* on the threatening applause at a performance of *Athalie* in 1787. It appears from this report that the long speech of the High Priest, in the third scene of the fourth act, was interrupted almost at every line by enthusiastic applause. We readily understand that under the reign of Napoleon I the liberal utterances in the piece had to be expurgated before permission was granted for its public performance.

1402. **des rois . . . le plus sage,** i.e. *Solomon.*

1408. **comme eux . . .** Note that there is no exact antecedent for this plural **eux.** It refers, of course, to *le* **pauvre** in l. 1406, which should be *les pauvres.* The requirements of meter made the poet choose the singular.

1423. **l'airain menaçant,** in the "*style noble*" prescribed for tragedy. Trans., *the warlike trumpets.* Cf. l. 1504.

1424. **des feux,** possibly *firebrands.*

1426. **voie est,** technically no hiatus, because *e* mute separates a preceding vowel from the vowel which begins the next word.

1439. Cf. Preface, p. 2, note 3.

1446. **. . . que l'orient regarde,** *at which the orient looks,* i.e. *the East.*

1447. **le côté de l'ourse** (the constellation of the Great Bear), i.e. *the North,* mentioned in Job ix, 9.

1448. Compare 2 Chron. xxiii, 5; 2 Kings xi, 6. These passages mention only three divisions. The entire chapter of 2 Chron. xxiii should be read in this connection.

1471. **. . . le Dieu des vengeances,** cf. Ps. xciv, 1: "O Lord God, to whom vengeance belongeth." — **des vengeances,** poetically for *la vengeance.*

1479, 1480. These lines are in accordance with the version of the Vulgate, which differs from the English Bible (Ps. lxxiv, 9). The Vulgate says: "Let us cause the feasts of God to cease upon the earth."

1485. **. . . son Christ,** *his anointed,* i.e. the king.

The verses of the Chorus at the end of the fourth act express in language both impressive and melodious the state of anxiety of the people in the temple. The repetition of the verse beginning with "*Où sont les traits que tu lances,"* and the three times repeated lines, *" Où sont, Dieu de Jacob, tes antiques bontés ?"* admirably represent the timid, doubting state of mind of those who, by their sex, are not permitted to take part in the active preparation for the coming conflict.

1492. . . . **mère,** *Athaliah,* by poetic license instead of grandmother. Note that the rhyme of l. 1507 finds its corresponding rhyme in next act, l. 1510.

ACTE V.

1510. . . . **eh bien,** *well?* not, ah, well.

1512. **nous touchons à,** *we are approaching.*

1515–1528. This recital of this important ceremony is quite in the classical style. Shakespeare would have represented the scene itself, but Racine produces an extraordinary effect when, in the presence of Athaliah, the curtain is drawn aside and King Joash appears surrounded by his friends. Cf. l. 1718.

1529. **semé,** trans., *made public.*

1537. **un poignard à la main,** a triviality which is to be regretted. It was here required to fill out the line. Cf. l. 244.

1539. **fatales machines,** *engines of war.*

1540. **Et ne respire . . .,** trans., *thinks of nothing but.*

1546. . . . **rebrousser son cours,** *flow backward.*

1547. **Des dieux . . . triomphante.** Another case where a present participle is made to agree like an adjective. Cf. l. 124.

1559. **leur fait cacher . . . leurs armes.** Cf. ll. 616, 907.

1568. **C'est le moindre prix,** ironically, *this is the smallest reward* (another and greater reward, i.e. *death*, being also reserved for me).

1579. **Cendre** stands for *cendres,* to rhyme with *défendre.*

1582. . . . **se racheter,** *pay their ransom* (for the permission to live).

1606. **en périra-t-il moins,** *will he perish any less on that account.* Cf. l. 949.

1616. . . . **l'homicide implacable,** Athaliah,— **homicide** is here a noun, — *murderess.*

1618. **Je l'ai vu . . .** should be now : *je l'ai vue . . .,* but in the latter form the mute *e* would stand after a vowel and before a consonant (*s'émouvoir*), which the rules of versification do not permit. In the seventeenth century the agreement was not insisted on.

1622. **sans fruit,** uselessly.

1625. **Que . . . de plus;** the *de* follows *que* as it would follow *com-bien*. Trans., *How much more . . .*, or better, *What more . . .*

1628. **. . . Il n'est pas temps.** *The time has not* (yet) *come.* Note that, if the High Priest informed Abner of the existence of Joash *now*, Abner would certainly range himself openly on the side of the young king, but in that case there would be no longer any possibility of inducing Athaliah to enter the temple with a small escort. The success of the whole enterprise would then be jeopardized. Cf. ll. 1738, 1739, and note on ll. 1647–1665.

1629. **cher,** *precious.*

1636. **Quelque . . . que.** Cf. this correct use of the expression with l. 214. — **loi,** lit., "law;" trans., *condition, terms.*

1636. **nous parer de** here means *nous protéger de.* Regularly used, *parer* is transitive, not reflexive (to parry).

1638. **de respirer,** *to regain my breath* (to recover from the shock).

1641. **que** is repeated for the meter.

1652. **à la lumière,** *from the light;* **à** goes with **cacher** as its *régime.*

1657. **. . . ramas d'étrangers,** a picked-up mass of foreigners, *a mob of foreign hirelings.*

1659. **quelque ombre,** *any cause of suspicion.* Cf., to take umbrage, — **faire ombre,** here, for *donner de l'ombrage à quelqu'un.*

1647–1665. The ambiguous language of the High Priest, intended to deceive Abner, in order that the latter may the more efficiently, *because in good faith,* ensnare Athaliah, jars on our modern feelings. Vinet, in his *Poètes du Siècle de Louis XIV,* p. 323, has this judicious remark: "Nous comprenons que le grand-prêtre en faisant périr cette protectrice de l'idolatrie, cette ennemie du vrai Dieu, au moment où elle va détruire en Joas le dernier rejeton de la race de David et la dernière espérance du peuple Juif et de l'univers, use d'un pouvoir discrétionnaire que nul, en se plaçant au point de vue de l'Économie Judaïque, ne peut songer à lui contester. Mais l'équivoque est indigne de lui, elle l'abaisse." This can hardly fail to be the judgment of every impartial critic.

Racine himself anticipated being criticized on the score of this equivocation. Among his papers were found a number of notes to defend his position. First, a reference to John ii, 19: Christ spoke figuratively of his death and resurrection, but used terms that misled the Jews.

Second, the martyrdom of St. Laurent, who, being asked to produce the treasures of the church, promised compliance, but brought, on the next day, the poor of the church, saying : These are the treasures of the church. Third, the case of Moses and Pharaoh, Exod. v, 1.

1666. **appui,** what we lean on, what supports us; hence, an incoherent figure here. The proper word would be *protection*.

1668. This exclamation of relief and anticipated triumph is both awful and sublime. By a single stroke the whole situation is put in the strongest relief. Trans. **proie** by *victim;* but *proie* is literally "prey."

1675. The second **que** as in l. 1641.

1691. . . . **laissant à mes soins gouverner votre zèle,** lit., allowing my watchfulness (my cares) to govern your zeal. *Laisser,* like *faire,* with an infinitive, generally requires its object in the indirect régime. Cf. ll. 151, 616, 1336.

1701. **vous changez de couleur, princesse !** Note how this remark expresses the situation !

1711. **Il,** i.e. *ton Dieu.*

1718. **sang,** *offspring.* Cf. ll. 144, 1772.

1728. **Ta fourbe,** *shameless deceit.* The *Académie* defines : *fourbe = tromperie basse et odieuse.*

1729. **fantôme,** *spectre,* as though Joash had been dead and now returned as a ghost.

1730. Note the effect of this line which marks the culmination of the dramatic action. Athaliah's **Soldats, délivrez-moi !** is at once met by the High Priest's terrible command : **Soldats du Dieu vivant, défendez votre roi !** The striking effect of these words is followed up by the brilliant and awful spectacle of the temple filled with armed Levites.

1731. Cf. 2 Chron. xxiii, 13. "Then Athaliah rent her clothes and said : Treason, Treason !"

1734. . . . **envelopper,** *entangle,* as in a snare.

1739. . . . **Laisse là ton Dieu,** *Don't talk of your God.* Cf. l. 452.

1756. Cf. Judges vii, 16–22.

1760. . . . **sur Joas . . . la conduite,** *God's providence as regards Joash.*

1768. See 2 Kings xi, 18.

1771. **et le port et le geste,** *both his carriage and his gestures.*

1772. **sang,** here, *race.*

1774. . . . **toi seul** . . . At the end of her career, Athaliah exclaims that the God of Israel triumphs.   This recalls a similar exclamation attributed to the Roman emperor, Julian the Apostate : " Gallilean, thou hast conquered ! "

1793. . . . **meurtris** stands here for *tués*.

1802. Construe : *Qu'il vienne renouveler sa foi dans ses mains.* Trans., *Let them come and renew on his hands their oath of allegiance.*

1811. . . . **soulagée,** here the same as *délivrée, freed, relieved.*

1805. **Et saintement confus de,** *and in pious contrition on account of* . . .

1813–1816. These lines fittingly close the tragedy in the spirit in which it opened.   In spite of the horror which the last scene inspires, it is true, as Professor L. Petit de Juleville has well said (*Le Théâtre en France*, 2d ed., p. 172), that " tout dans *Athalie* est grandiose; un esprit profondément religieux anime toute la pièce, et Dieu même semble la conduire."

Heath's Modern Language Series.

FRENCH GRAMMARS AND READERS.

Bruce's Grammaire Française. $1.12.

Clarke's Subjunctive Mood. An inductive treatise, with exercises. 50 cts.

Edgren's Compendious French Grammar. $1.12. Part I. 35 cts.

Fontaine's Livre de Lecture et de Conversation. 90 cts.

Fraser and Squair's French Grammar. $1.12.

Fraser and Squair's Abridged French Grammar. $1.10.

Fraser and Squair's Elementary French Grammar. 90 cts.

Grandgent's Essentials of French Grammar. $1.00.

Grandgent's Short French Grammar. Help in pronunciation. 75 cts.

Grandgent's Lessons and Exercises. *For Grammar Schools.* 25 and 30 cts.

Hennequin's French Modal Auxiliaries. With exercises. 50 cts.

Houghton's French by Reading. $1.12.

Mansion's First Year French. For young beginners. 50 cts.

Méthode Hénin. 50 cts.

Anecdotes Faciles (Super). For sight reading and conversation. 25 cts.

Bruce's Dicteés Françaises. 30 cts.

Fontaine's Lectures Courantes. $1.00.

Giese's French Anecdotes. oo cts.

Hotchkiss' Le Primer Livre de Français. Boards. 35 cts.

Bowen's First Scientific Reader. 90 cts.

Davies' Elementary Scientific French Reader. 40 cts.

Lyon and Larpent's Primary French Translation Book. 60 cts.

Snow and Lebon's Easy French. 60 cts.

Super's Preparatory French Reader. 70 cts.

Bouvet's Exercises in Syntax and Composition. 75 cts.

Storr's Hints on French Syntax. With exercises. 30 cts.

Brigham's French Composition. 12 cts.

Comfort's Exercises in French Prose Composition. 30 cts.

Grandgent's French Composition. 50 cts.

Grandgent's Materials for French Composition. Each, 12 cts.

Kimball's Materials for French Composition. Each, 12 cts.

Mansion's Exercises in Composition. 160 pages. 60 cts.

Marcou's French Review Exercises. 25 cts.

Prisoners of the Temple (Guerber). For French Composition. 25 cts.

Story of Cupid and Psyche (Guerber). For French Composition. 18 cts.

Heath's French Dictionary. Retail price, $1.50.

Heath's Modern Language Series.

ELEMENTARY FRENCH TEXTS.

Ségur's Les Malheurs de Sophie (White). Vocabulary. 45 cts.

French Fairy Tales (Joynes). Vocabulary and exercises. 35 cts.

Saintine's Picciola. With notes and vocabulary by Prof. O. B. Super. 45 cts.

Mairet's La Tâche du Petit Pierre (Super). Vocabulary. 35 cts.

Bruno's Les Enfants Patriotes (Lyon). Vocabulary. 25 cts.

Bruno's Tour de la France par deux Enfants (Fontaine). Vocabulary. 45 cts.

Verne's L'Expédition de la Jeune Hardie (Lyon). Vocabulary. 25 cts.

Gervais Un Cas de Conscience (Horsley). Vocabulary. 25 cts.

Génin's Le Petit Tailleur Bouton (Lyon). Vocabulary. 25 cts.

Assolant's Aventure du Célèbre Pierrot (Pain). Vocabulary. 25 cts.

Assolant's Récits de la Vieille France. Notes by E. B. Wauton. 25 cts.

Muller's Grandes Découvertes Modernes. 25 cts.

Récits de Guerre et de Révolution (Minssen). Vocabulary. 25 cts.

Bedollière's La Mère Michel et son Chat (Lyon). Vocabulary. 25 cts.

Legouvé and Labiche's Cigale chez les Fourmis (Witherby). 20 cts.

Labiche's La Grammaire (Levi). Vocabulary. 25 cts.

Labiche's Le Voyage de M. Perrichon (Wells). Vocabulary. 30 cts.

Labiche's La Poudre aux Yeux (Wells). Vocabulary. 30 cts.

Lemaitre, Contes (Rensch). Vocabulary. oo cts.

Dumas's Duc de Beaufort (Kitchen). Vocabulary. 30 cts.

Dumas's Monte-Cristo (Spiers). Vocabulary. 40 cts.

Berthet's Le Pacte de Famine. With notes by B. B. Dickinson. 25 cts.

Erckmann-Chatrian's Le Conscrit de 1813 (Super). Vocabulary. 45 cts.

Erckmann-Chatrian's L'Histoire d'un Paysan (Lyon). 25 cts.

France's Abeille (Lebon). 25 cts.

Moinaux's Les deux Sourds (Spiers). Vocabulary. 25 cts.

La Main Malheureuse (Guerber). Vocabulary. 25 cts.

Enault's Le Chien du Capitaine (Fontaine). Vocabulary. 35 cts.

Trois Contes Choisis par Daudet (Sanderson). *Le Siège de Berlin, La dernière Classe, La Mule du Pape.* Vocabulary. 20 cts.

Selections for Sight Translation (Bruce). 15 cts.

Laboulaye's Contes Bleus (Fontaine). Vocabulary. 35 cts.

Malot's Sans Famille (Spiers). Vocabulary. 40 cts.

Meilhac and Halévy's L'Été de la St.-Martin (François). Vocab. 25 cts.